まえがき 女性が自分の会社を持つということ

二六歳のときに起業してから、もう六年もの歳月が流れました。いま私は、「**女性にとって自分の会社を持つことは、人生を自分で創り出していく生き方なんだ**」ということを実感しています。そして、「**女性は出世や権力より、自分の力で人生の自由を獲得することに価値を見出す**」ということも、多くの女性と接してわかりました。

私たちは、社会でいろいろな規制や常識に縛られていきます。それも女性として、社会人としての両側からです。結婚相手の条件、結婚生活のバランス、出産と退職の必要性、女性は出世しないもの、とか一生懸命仕事してもどうなるのかとか……そういう観念を多くの人

が持っていて、それが各々の人生に大きく影響しているような気がします。

でも、**自分で社長になると、自分の理想を実現することができます**。自分の可能性を自分で引き出すことができるのです。つまり、**世間一般の女性の生き方を求められることもなく、誰と比べられる人生でもなく、そこから自分を解き放つことができるのです**。

社長になって、精神的にも経済的にも自由になったら、まずは、自分に自信が持てると思います。そして、自分の居場所や存在価値が明確になってくるでしょう。心の底から望んだことに打ち込めるようになり、人が喜んでくれそうなことに取り組み、生き甲斐を持ち、自分の楽しみもエンジョイできるようになります。これらをうまく融合してデザインしながら、**誰のものでもないただ一つの人生を創り上げることができる**。もちろん、社長業は簡単なことばかりではありません。辛いところも数多くありますが、毎日、「自分は生きている。社会にはっきり存在している」そんな実感を持つことができます。だから私は、女性が自分の会社を持つ意味は、とても大きいと思っています。私自身が経験してみて、この生き方に心から納得しているのです。

今は皆が迷っているような時代です。スピリチュアルなものもはやっています。多くの人は

自分がどう生きるべきか、というのを模索しています。女性としての生き方や世間の常識にとらわれて、足踏みをしている女性もいるでしょう。でも、少しずつ時代が変わってきています。仕事をバリバリする女性、自分で会社を持つ女性も徐々に増えてきました。社会の中の選択肢がこれだけ多様化しているのだから、何を選ぶかという決断力が必要です。でもそれができなくて、どうしていいかわからなくて迷っている人が多いのも現実です。

社長は、常に自分自身で物事を決められる人間でなければなりません。たとえば野球でいえば、作戦を立てる監督であり、人選を行い、観客を集め、自分自身もプレーする人間です。こうやって自分が全部判断し決断したプロセスが、総合的に結果につながってくるのです。

あなたの会社は、あなたの考えたことが直接反映されていきます。社会にこういうサービスを増やしたい、こういうことは儲かるけどやりたくない、など、あなたの倫理観や考えを盛り込んで、あなたはその会社を大事に育て、お客様と社会に必要とされながら生きていきます。

結婚、出産、いろんな人生のターニングポイントで、女性はいろんな山を登らなくてはいけない。男性は仕事だけしていればいいというのが今でも主流ですが、女性はそればかりでは物足りない。もっと人生に欲張りなのです。私は女性起業塾という、起業したい女性を支援する

起業セミナーを経営していますが、ここに来る女性たちも、そういう人が多いんです。人生に貪欲で、大変だとしても仕事以外にもいろいろなことを経験して、ちゃんと乗り越えていこうとしています。家庭生活も、仕事も、趣味も、「女性としての人生」と「仕事の人生」すべてを楽しく両立できるのは、やはり社長という仕事。だから、自分でがんばってみよう、と多くの女性が勉強しています。これからも、もっと社長志向の女性は増えるでしょう。

でもやはり、新しいことを手がけるときには多少リスクはあります。起業してから一年目でつぶれる会社が本当に多い中で、もしあなたが会社を持つならば、ちゃんと生き残っていってほしいと思うのです。せっかく勇気を振り絞って人生を自分で創っていく決断をして、がんばって準備をして、希望を胸に始めるのですから、必ず成功してほしいのです。

この本はそんな未来の女性起業家の皆さんのために書きました。起業というのは、情熱も必要だけれど、それだけではダメ。分析力も必要だけれど、理屈だけではダメ。根性論だけでも経営理論だけでもダメなのです。**バランスと正しい目標設定が必要なのです**。よちよち歩きの子どもは、何かにつかまりながら、やがて自分の足でちゃんと歩けるようになります。あなたも同じです。転びそうになったとき、誰かのサポートが必要なんです。私も起業してから六年、多くの人から助けてもらってきました。今度は私があなたに力を貸す番です。

私もまだまだ成長過程です。でも皆さんと目線が近い六年目の今だからこそ伝えられること

があると思いました。これから起業して自分の会社を持って生きていこうという女性たちには、これを目指して、こうしていきたい、という具体的なヴィジョンを、この本からつかみとってほしいと思います。また、単なる根性論や経営理論でなく、私が実際に失敗し、傷つきながら経験してきたからこそ言える、現場の視点でお伝えしていきたいと思います。

必要なのは「経営者の脳」です。参加する側から主宰する側に回る。巻き込まれる側から巻き込む側になる。エンターテインメントされる側から、エンターテインメントする側に回る。「視点」「立ち位置」が鏡の向こうとこちらで入れ替わるような感覚。それが「経営者脳」なのです。それを手に入れられれば、あとは自然に社長として成長していくことができるでしょう。

自分で選んだ人生を歩くことは楽しいことですが、自分で創った道を、後から続く人たちが歩いてくるのは本当に豊かな気持ちです。人生の幸せはきっと、どれだけ周囲の人を幸せにしたかにかかっていると思います。一緒にそんな充実した毎日を過ごしてみませんか？　さあ、未来の経営者を目指して、私と一緒に進んでいきましょう。

自分の会社をつくるということ●目次

第3章 会社を成功させるキーワード

第4章

あなたのブランドで、オンリーワンになりましょう

第5章

社長の仕事って何でしょう？

第6章

売る人はあなたです

第7章 経営のマインドが重要です

第8章 あなたの会社を知ってもらいましょう

第11章 起業から最低三年はがんばりましょう

第12章 事業は生き物

第13章 女性起業塾について

第14章 人生と仕事。全体を充実させましょう

第一章
自分の会社を持ちましょう！

私は二六歳のときにトレンダーズという会社を始めました。それまで私は、大学を卒業し、普通に就職し、社会人としてリクルートや楽天などいくつかの会社に勤め、有意義な経験をしてきました。働くことは心の底から楽しかったし、実績も残すことができました。それに見合ったお給料ももらっていました。

会社勤めでも満足していた私が会社をつくろうと思ったのは、いくつか理由があります。まず留学を考えましたが、準備がうまくいかず迷っていました。再就職も違和感を感じ、とはいっても収入は必要ですから、フリーランスのような形で何かやるつもりでした。せっかくだか

ら、誰もやらないようなことで、自分の思いどおりのサービスを提供してみたいという気持ちがありました。最初から社長や経営者というところまでは考えていませんでした。とりあえず個人コンサルタントをやることを思い立ちました。自分の家でできて、経費がかからないと思ったからです。インターネットにつながったパソコンとプリンターさえあれば、何でもできると思っていました。周囲の人の頼まれるままに、数社のお客様に対して、リサーチレポートなどを作成しては納品していました。そういう業務を続けて数カ月、なんとか食べていくことはできるなと感覚がつかめたのと同時に、少しだけ疲れていた自分がいました。当時の自分を振り返ると、その姿はまるで、鶴の恩返しの物語そっくり。たった一人で自分の羽を抜きながら反物を織るような日々でした。これでは自分がすぐに空っぽになってしまう、インプットに限界があるからいいコンサルティングを永遠に続けるのは限界があるのかもしれない、お客様が突然途絶えたらどうしようなど、いろんな危機感が生まれ、自分の中で「先が見えない不安」がだんだん大きくなっていったんです。では**もっと自分らしく、成長しながら、お客様にも社会にも提供できる価値も高めながら仕事をするにはどうしたらいいのか？　と思ったときに、自分の会社を持つこと＝〝起業〟があったんです。**

女性というのはその特性上、皆と同じほうが安心できるし、自分が主張するよりも周りの意見に合わせていく習慣が身についています。私自身もそのような部分があって、女性が女性と

しての人生を生きるのはいいことだし、わざわざ男を目指す必要なんてないと思っていました。でも、仕事が大好きで、自己実現したいし、でも家庭を持って、いいお母さんにもなりたい。両方やりたい！　一見無理なように思えましたが、結局、私はあれを取ってこれを捨てよう、と考えることができませんでした。どうにかして両方実現しようとしたのです。

そして会社をつくり、業績を伸ばしながら現在までがんばってきました。その間に結婚をし、子どもも生まれました。そして、今、また新しい命がおなかの中に入っていて、一緒にこの本を書いています。私はできるならば、「子どもは五人ほしい」と思っています。仕事と家庭の両方を楽しみたいと思っているのです。

今までの経験から数え切れないくらいたくさんのことを学びましたし、学生時代よりはるかに学習量が増えました。そういったお話はこれからしていきます。

皆さんに先に伝えておきたいのは、私は親からの会社とか財産とかを受け継いで社長になったわけではないんです。それから社長になるための特別な訓練を受けてもいませんし、ＭＢＡ（経営管理学修士）も持っていません。だからこの本を読んでいる多くの皆さんと一緒だと思います。お金もそれほど持っていなかったし、何もわからない状況で、二六歳のとき、何もかもゼロから始めたのです。**若くして会社を持つような人は何か特別に恵まれた境遇にある人な**

んだからとか、私とはしょせん違うんだから、と考えないでください。私は誰にでもチャンスがあると信じています。すべては「考え方」次第なのです。お金がないのであれば知恵を出せばいいのです。**あなたが本当に望むなら、必ず夢は実現できると思います。**

女性が起業するメリット

まず、これから起業したいと考えている女性の皆さんのひとりひとりに、「女性」であるだけで、どれくらい大きな可能性があるか、潜在的に有利なポイントがあるのかということから話をスタートさせたいと思います。

女性が起業するメリットはいくつかあります。それは主にこの四つの点です。

1．女性自身が消費のプロフェッショナルであるから、世の中のニーズを身をもって知っている。

2．女性の特性である、きめ細やかさ、優しさがサービスに反映される。これは、今の時代、

世の中のニーズに合っている。

3．本能的に母性があるので、人材育成などに対して本能的に合致できる。

4．堅実な人が多くまじめ。小さく産んで大きく育てるという地道なやり方ができる。

それでは一番目から説明していきましょう。最初は女性が消費者自身であることがすでに有利であるということです。今は、世の中がこぞって消費の主役である「女性向け」を意識していて、商品開発、プロモーションを行っています。女性は消費者のひとりとして、そのリアルな感覚を自分自身がよく知っています。実は経営者の九五％が男性なのです。つまり、最終的にモノをジャッジしているのは経営者で、現在はそのほとんどが男性ということになります。でも、実際は、二〇歳から三四歳の女性が消費行動に八割の影響を与えているといわれています。つまり、モノをジャッジしている人と購入している人が違いすぎるのです。商品が売れない理由はそこにあるのかもしれません。今トレンダーズは、二〇歳から三四歳の女性をターゲットに絞ったマーケティングサービスを提供しています。男性主体のいろんな会社から、女性向けのものを作りたいから手伝ってほしいとか、マーケティングデータがほしいと頼まれるのですが、「女性の感覚」はお金を払ってでもほしいということなのです。それくらい世の中は

プロフェッショナル消費者である女性の感性を求めているのです。女性は当たり前すぎて気づいていないのですが、女性の感性そのものがすでに価値があるということです。

二番目は、女性特有の優しさときめ細やかさです。これはお客様が今の時代に求めていることなのです。つまり、昔は単にモノを買うという時代で、物欲さえ満たされればそれでよかったのです。でも、今はたとえば、電化製品を買って何か不備があったらサポートセンターに電話しますよね。そのとき丁寧に対応しないと、その会社に対してのイメージが下がる。そこではもう購入しないということになる。以前は、「スイッチを入れれば直ります」「ああ、そう。ありがとう」ですんだ時代から、もっと皆が、きめ細やかで、優しくて、あったかいものを求めています。「いつもありがとうございます」という言葉や、「お客様を大切にする姿勢」を求めているからこそ、そういう消費者の感情にきめ細やかにフォーカスするのは女性が得意な分野であると思います。

三番目の、人を育てるという点ですが、会社というのは人で成り立っていますよね。スタッフがいて、そのスタッフの力によってチームワークで何かを成し遂げていく。つまり、チームをどうまとめ、力を引き出すのか。そういったことが女性は母性本能でできる。人材育成をす

るときに、人が育っていくということを本能的に喜びに感じる。男性は、どちらかというと、自分の権力を拡大していくことのほうに喜びを感じる場合が多いかもしれませんが、女性はそうではなく、人が育っていくことがうれしい生き物だから、チームが気持ちよく機能していくのかもしれません。そういえば、スポーツチームのマネージャーの気遣いにも近いものを感じます。

四番目のまじめで堅実であるという点ですが、これが本当に大切なのです。経営というのは、一気にガッと大きく、手広くやるというのもあるけれども、今の時代、一〇〇億円とか一〇〇〇億円のビジネスなんてそうたやすく見つけられるものではありません。リスクもとても大きいですよね。飽和している社会では、巨大なビジネスチャンスを見つけるよりもニッチを狙って、皆のニーズとニーズの隙間を埋めるとか、そういったビジネスがとても求められるようになっていると思います。その場合、女性が、小さいマーケットを丁寧に拾っていって、いいサービスを提供し続けることができる。**小さなところからリスクを最小限に抑えながら、コツコツと丁寧に徐々に大きくしてやっていくのが女性は得意です。**お金を使うことは、大きく「消費」と「投資」に分かれますが、社長になったらお金の使い方は「投資」だけです。いかに小さい金額でも確実に元をとっていく。それが経営の基本だと思います。経費は、節約するのに

越したことはありません。創業以来ずっとムダなお金は一銭でも使いたくないと思ってやってきました。お金を払うときはそれ以上のリターンが見込まれる場合のみきちんと支払います。今でも裏の真っ白なコピー用紙をスタッフが捨てたら怒ります。必要のない電気もパチパチ自分で消して歩いています。それぐらい節約して、物を大事にしているんです。そういう精神、つまり物を大事にするということができなければ小さな仕事も大切にできません。**常に使ったものの費用対効果を考えて管理できることが、女性が起業に、社長職にとても向いている点だと私は思います。**

自分サイズの会社。最初のステージはどこ？

今まで女性が会社以外で働く場合、家でできる何かの資格を取るとか、ＳＯＨＯとか、フリーランスなどの形態を考えてきました。まず手に職をつけて、それでずっと食べていきたいという希望が多かったと思います。でも、そういう時代は一区切りついた感じがします。もちろん自分の得意分野で好きな仕事を追求するというのは素敵なことです。でも、そういう生き方は、ある程度の制限があるのも事実です。専門資格を所有する人の間での価格競争になりがち

だったり、時間に縛られていてやった分だけしか稼げないし、クオリティーを上げていくのもなかなか難しいし、気づいたら時代の流れに取り残されていたり、営業が難しかったり、顧客基盤が脆弱であったり、なによりも、自分が病気になったら大変です。だから、ある意味リスクが高い仕事なのです。人件費を払わないぶん、リスクが低いと考えるのは早計です。持続できないリスクを考えると、私は決して安全ではないと思います。

では私が推奨する、女性が選ぶべき最初の事業や規模についてお話ししましょう。まず事業についてですが、**ある程度時代に合った事業やオンリーワンのビジネスを探すということが大事です。さらにニッチで、誰もほかの人が手がけてないような珍しいことであればいいですね。**たとえばトレンダーズで実際に手がけている事業なのですが、人材の斡旋や派遣業はいっぱいあるけれど、それが「女性幹部、女性社長専門の斡旋」とか、「ネイリスト専門の派遣」とか、そういったあるカテゴリーを絞っていくことによって、小さい会社でも会社のイメージがつくりやすいというのはあります。珍しい部分のマーケットがとれるからです。大企業は、そんな狭いところまでは真似してきません。先に手がけたものが優位にたてるというメリットもありますから、自分独自のペースでノウハウを積み上げながらきちんとできるはずです。

さらに会社の規模や売り上げについてですが、女性で社長という立場で、時間とお金が最もバランスよく自由になるのはどの程度だと考えればいいのでしょうか？　**私は、社員は三〜四**

人程度を最初の組織体制の目標と考えます。社員が多いと社長の悩みは増えます。だから**小規模で売り上げでいうと年商一億円ぐらいを目指すといいと思います。事業は利益率が高いサービスで、なるべくオンリーワンで競合があまりないようなものをやって、認知度と会社のブランドイメージをつくっていく。**すると、その分だけクチコミで確実にお客様が増えていく、というやり方がいいと思います。これなら利益率も高いし、社長はだいたい年収二〇〇〇万円から三〇〇〇万円は取れると思います。また、自分自身が病気や出産など何かあったときでも、一応社員が三人いれば何とかなるというような形がつくれます。これらの理由から、「**年商一億円、社員三～四人、オンリーワンビジネス**」、それが女性が起業するときに最初の目標として理想的なモデルと考えています。

私が年商一億円、年収三〇〇〇万円にこだわる理由

仕事にも人生にも充実を望むなら、やはりバランスを考えてどのあたりに比重を置くかが問題になります。女性の場合、あまり行け行けドンドンというよりも、お客様といい関係を長く誠実に続け、従業員とも、むしろ家族のような感じでやっていく形を好みます。それが女性の

特性に合っているんですね。しかも業務内容は、ほかでやっていないような、社会貢献の意味もあるハイグレードのサービスをやっている……そんな評判が立つのが最高。あなたもそんな会社を育てて成功したいでしょう？　そうです。これが多くの女性が好むタイプの成功なんです。それは、どこかの企業を買収して事業拡大するとか、競合をつぶすまで勝負をしかける、という事業の進め方ではありません。あなたのペースで着々と構築するというやり方です。だから起業初心者はこの規模がやりやすいのです。

年商一億円というのは月で分散すると、ひと月だいたい八〇〇万円になります。そう仮定すると、二〇日稼働したら、四〇万円の売り上げが毎日あるということですよね。四〇万円の売り上げを社員三人で作るなら、毎日一人当たり一〇万円から一五万円ぐらいの数字を上げられるものとなります。毎日四〇万円がコンスタントに売れるビジネスは何だろうとかいうふうに考えていくと、ヒントが見つかりやすいのではないでしょうか。

たとえば一万円の商品だったら一〇個だし、一〇万円だったら一個で、毎日四個とか、そうやって考えていけばいいと思います。やみくもにやるよりも、目標設定から逆算していって、規模とビジネスモデルを考えるという方法です。

年商一億円で安定すると、ある程度、時間も資金も余裕ができます。**あなたの年収が二〇〇〇万円から三〇〇〇万円あれば、たとえば子どもを産むときにベビーシッターさんを雇えるし、会社と生活のどちらも両立できます**。

今、働く女性で年収一〇〇〇万円を超えている人って全体の一％しかいないそうです。女性社長でも、一〇〇〇万円の年収を超える人は九・七％しかいないそうです。それは事業的に会社としてみるとすごく大変なことだと思います。資金が足りなくなれば、銀行から借りるよりも先に社長の貯金から資金繰りに回さなくてはいけない場合もあります。よく、社長になって一〇〇〇万円くらいとれれば、と目標設定をしている人がいますが、それは少ないと思います。年収一〇〇〇万円ぐらいで代表取締役というのは、パワーの持続、優秀な人材の採用、会社への設備投資などを考えるとおしなべて難しいラインです。社長は何か起きたら一番最初に対応しなければならない最高経営責任者で、精神的には二四時間稼働のようなところがあります。その責任の重さを考えると、割に合わないのではないでしょうか。

それに社長になると、最初の数年間は、たとえ黒字でも、個人から会社への持ち出しが多くて大変です。たとえば年収が七〇〇万円だったとしても、税引後は五〇〇万円も残りません。その程度では、会社で何かあったときに、すぐお金がなくなってしまいます。

年商一億円なら従業員に支払って、さらに経費も引いて、自分の給料として年間三〇〇〇万

円を残せるような利益率にもっていくことが可能です。だから当面の年収目標は、三〇〇〇万円に設定しておきましょう。

会社を上場させることも、すばらしいことだと思います。ただ、女性の人生と仕事のバランスのよさを考えたときに、上場会社を経営するというのは、会社を人生で最優先に考えられない人には難しいかもしれません。それに大企業の社長は常に世間の目にさらされているだけに、不自由です。小さい会社の社長さんのほうが自由度が高いですね。でも、それよりさらに小さいとあまりにも不安定です。社長が仕事ができなくなったらストップしてしまいます。

継続することによって会社の力というのはどんどん大きくなっていきます。支えてくれる応援者も増えて、お客様からの信頼も増えて、基盤が強くなるからです。一番いいのはオンリーワンで特殊であること、たとえばエステでも、出張専門とか、温泉の老人向けとか、何か少しコンセプトが今までにない、そういうオンリーワンの事業であれば大企業も参入してこないし、口コミでも広がりやすいし、ブランディングされやすく、人から思い出されやすい。そういう、少し差別化されたユニークさというのは、マーケットも小さい。だから、私たちの目指すサイズにちょうどいいんです。手始めにこのサイズの会社を目標にしてもらいたいのは、以上のよ

うな理由です。

地図を持って行きましょう

経営をするにあたって、あなたはいつも現実的な数字を把握しておかなければなりません。ちょっと大変そうだけど、がんばればできるかもしれない、というのがこの経営モデルです。この本では、このサイズの会社を経営することを念頭に、これからいろいろなお話をしていきます。

知らない土地に行くときには、地図が必要ですよね。気ままな一人旅なら、地図を持たないのもいいでしょう。行き当たりばったりで、右曲がって、左曲がって、あちこちにぶつかって、ハプニングを楽しみながら行く人もいます。でも、社員をかかえた経営者がそれをやってはいけないと思います。会社の経営は冒険ではありません。社員を持って、たとえば年商一億円でやろうと思ったときには、道楽ではすみません。社員も一緒に道にぶつかってしまうからです。他人の人生がかかっていることです。やはりきちんと勉強して、知識を携えて進んでいくべきではないでしょうか。**パターンや効率化というのも視野に入れたほうがいいと思います**。地図

を持つことの意味は、たくさんあります。最短距離は地図の上から見ればわかるけど、そこを歩いている人にはわからない。わざわざ遠回りをするより、安全な近道を進むのに越したことはありません。道に迷いパニックになって判断を誤ることも防げます。この本を読むあなたなら、きっと堅実な経営者になるでしょう。経営に冒険心と情熱だけで行き当たりばったりになって、周りを泣かせるようなことはしないと思います。「こんなサービスがあってよかった」とか、「この会社にかかわれてよかった」と周囲の人に喜ばれる、そして、自分自身の人生も謳歌《おうか》できるチャーミングな女性経営者になってください。

第二章
立ち上げの前にやるべきこと

ここからは起業に先立つ準備の話をします。資本金？　登記？　いいえ。起業準備はそういうことのずっとずっと前から始まっているのです。

起業したいと思った人が、最初にやるべきこと。それは、**今いる環境で、認められることです**。このことが、すべての土台になります。起業を目指す人のタイプにはリベンジ、つまり、勤めていた会社でうまくやれなかったから起業すればうまくやれるだろうというタイプが結構多いんですが、それが成功するかというと、ちょっと疑問です。つまり、一つの会社の中で役に立てる人材ではない人が、会社の外に出たからといって役に立てるとは限らない

からです。

会社をつくる前にぜひやっておきたいこと

会社で働いているときは、自分のお客様は社長です。だから、社長を満足させられて、社長のニーズを満たすことができることが第一歩なんです。どんなに自分が違うと思っていても、社長があなたにお給料を払っている以上、あなたの唯一で一番大切なクライアントなんです。自分が次に社長になったときに、世の中のすべての人がクライアントになるのです。ただ一人のクライアントを満足させられない人が、お客様すべてのニーズに応えられるでしょうか。私は会社員時代に、社長室で新規事業立ち上げの役割をしていたことがあります。いわば目の前のボスのことを真剣に考えて、その人が喜ぶことを提供していく、つまり、社長の考えることを形にして実現させるのが役割でした。だから起業以前はお客様が社長で、起業後は世の中の人がお客様になったというだけなんです。基本として、考え方、姿勢はあまり変わらないんです。

起業して成功したいなら、今の環境をまず土台にしましょう。その中で最大限に認められるような人間になってください。周りの人に認められるようにがんばること、そして認めさせるような実績を作ることです。それができて、**周りの人からも、この人は飛び抜けていると思われたら、その段階がひとつの目安、つまり辞めるタイミングになると思います。**

今あなたが、会社に勤めるＯＬだとしたら、その特権をちゃんと行使するのだって大切です。会社員が受けられる社会保障の恩恵って、結構大きいのです。衝動的にそれを手放してリスクを高めるよりは、しっかり計画を立てていきましょう。

それから事業は副業としてでもいいので、まず始めることです。まずは給料ではないところから稼ぐ力をつけるということが大事で、辞めて起業していきなり給料を上回る収入を見込むのは厳しいですし、どれくらいの売り上げを自分が出せるのか会社員をしながら実験をしていけばいいんだと思います。

まず起業したら、初年度は、会社としての知名度もない、サービスの実績もないので、ほとんど社長個人の直接営業による売り上げだと思います。売る力というのは、いくらあってもムダになりません。だから、一度は、営業を経験してください。いろんな形でやるのがいいでしょう。営業力を鍛えられる会社を見つけるのでもいいですし、フルコミッションという形で経験するのでもいいし、起業したら皆さんは直接営業だけではなく、おそらく自社のホームペー

ジを通じてインターネットでも何か物を売られる機会があると思いますから、ネットで何かを売るという経験を副業的にしてもいいかなと思います。

女性起業塾では、まず一円を稼ぐことからやってもらうんです。その実践の場としてインターネットオークションで何か出品して売るというのをやります。不用品の仕入れはゼロなわけですから、それを高く売るにはどうしたらいいか、お客様に満足していただく最高のやり取りのプロセスを習得してもらいます。どんなキャッチコピーをつけると、どんな認知のされ方をして、というのを実際にやってみると、とても学ぶことが多いんです。

他にも会社に勤めながらできることもあります。たとえば、自分が経理をやっているのであれば、副業でほかの会社や、友達の経理をやってあげることも可能です。営業が得意であれば他の会社の商品を販売代行してあげる。そうやって、お金を自力で作る。**何もないところからお金を生み出すのが起業だから、お金がないとか、人脈がないとか、経験がないから起業できないっていうことはまったくないんですね**。反対にお金さえあれば起業できるのかというと、そうではない。それなら人脈があれば起業できるのかというと、そんなこともない。最初は皆、経験がないところからスタートしている、だから起業なんです。実際、一万円を一〇万円にできない人が、一億円を一〇億円にはできないと思います。

まずは自分で、今の環境で最大限認められる実績を出す。そして、手元のお金をふやしてみる。頭で考えているだけではなくて、実践して感触をつかむのが、準備の間では一番大事なことです。その次は、やはり何をやるのかというのを決めるということなのですが、そのためには、**まずイメージなんです**。自分がどんなタイプの社長になるのかっていうこともそうですし、どのぐらいの規模の会社にするのかというイメージも固めてほしいのです。

たとえば、オーダーの服を仕立てて販売しようと考える。子どもがいるから、家でできる仕事で稼ぎたいと思って、自分でシンプルな生地を買ってきて、周りの人の好みに合わせてオリジナルのものを作製するという仕事です。売価が一着三〇〇〇円とか四〇〇〇円で、一日、二着しかできなかったとしたらどうでしょう？　率直に言って、絶対に年間一億円の売り上げにはいかないんです、どんなにがんばっても。であれば、もし一億円売ることを優先的に考えた場合には、一着をもっと高く売るための方法を考えるか、たくさん販売できる仕組みを作るか、もしくは他の関連する商品サービスも提供するしかないんです。この例でわかるように、最初のイメージの段階で目標設定をしたときに、具体的な金額が頭にあれば、それに見合った事業、方法、利益率などを考えることになります。

世の中にはいろいろなタイプの経営者がいますから、自分の理想に近い人のスタイルを真似してもいいのです。世の中の経営者タイプをいろいろ知ることが大事です。見つけるチャンス

はたくさんあります。本を読んだり、ネットで調べたりすれば、いくらでもできることです。

趣味で稼ぐのではなく、会社として人を雇ってやっていくからには、それにふさわしいビジネスでなければならない。その線をはずさずに目標を設定しましょう。何をやるのか。つまり業種です。それから規模も決めます。自営業という方法もありますが、そこからスタートしたとしても、自分ひとりが十分食べていけるようになったら、ぜひ社員を持つように目標設定してください。女性が会社を持ち、人を雇ってこそ、学ぶこと、叶えられる夢がたくさんあるのです。

どんな仕事にも自分らしさは発揮できます

起業願望のある前向きな女性が、たまたま事務職などに就いているとき、たいてい同じようなことを感じるものですね。「これは私でなくても誰がやっても同じ仕事だから、自分にしかできない仕事をしたい」。よくわかるのですが、あなたらしさを発揮できる余地というのは案外いろいろなところに隠れているものです。

私はこのような相談を受けたときにはよくこの話をします。一生懸命がんばった結果、たとえばコピー一つでも、何でも、自分なりに徹底的にやった結果、その人らしいコピーのとり方ができあがっていく。ホチキスを留める位置、印刷の色の濃さなど。文字の大きさを見やすくしてみるとか、相手の最も望む方法を工夫していくうちに、だんだん差別化されていくものだと話すんです。私も単純労働の経験があります。大学時代にはコンビニでバイトをしていました。お客様が商品を持ってレジに並ぶ、それを次々とこなしていく。確かに誰がやっても同じ仕事に見えるかもしれないけれど、私は私にできる精一杯の工夫をしました。毎朝来る人には、「いってらっしゃいませ」だけではなく、「また明日もよろしくお願いします！」の一言を付け加えるとか。みんな急いでらっしゃるので、少しでも商品を袋に入れるのを早くする技を磨くとか、自分らしさを磨く場所として、コンビニのバイトの仕事だって捨てたものではありません。柏餅販売のアルバイトをスーパーで単発でしたこともありますが、たくさん売るためには一人二個以上買ってもらうことが大切だなと思ったので、店長さんに「何か捨てる予定の景品とかありませんか？」と聞いたら、真っ白なキャンペーン用のお皿が余っているということがわかり、「二個以上購入してくださった方に、お皿を差し上げます」とやったら、あっという間に完売したということもありました。

自分のオリジナリティーを発揮するチャンス、アイディアを結果につなげる工夫は、至る所

にあったんです。大切なことは、どんな仕事であれその職場で、自分の持てる精一杯の実力を出して、これ以上はないというところまでやってみることです。**そして自分の器サイズの小さなバケツでも、水がいっぱいになったときに、もっと大きなバケツが待っているのです**。そこに余った水を入れていく、そうやって徐々にステップアップできる人こそ、継続して成功し続けることができるのだと思います。まずは小さくても、最初の器を満たしてみることから始めてみてください。

仕事は段取り次第

私は、仕事って段取りが八割以上だと思っています。何はともあれ戦略を立てるということです。いきなり行動を起こしたりしないで、まずとにかくじーっと考えて、ああでもない、こうでもない、とゴールまでをシミュレーションしてから始めたほうが、あちこちぶつかりながら行くより絶対に速いんです。とりあえず着手してみるというスタイルの人もよくいます。手をつけてみるまではわからないという理論の持ち主です。そういう人は、忙しそうに見えるのですが、意外と大した仕事はしていないということが多いのです。

仕事のスタートは焦ってはいけないと思います。綿密に一生懸命ゴールまでの道筋を何通りもシミュレーションして検討した後に始めると、やはり後が楽です。ムダな動きをしなくてもすむので、最小限のエネルギーと投資でいいのです。そんなに難しいことではないのです。たとえば、お買い物を頼まれたときに、「ついでに他に必要なものはありませんか？」と一言声をかけるだけで、何かが一緒にすんでしまうこともありますよね。そういう精神です。

段取りといえば、家事全般も同じです。仕事というのは、あるリソース、限られた資源を使って、どういうふうに相手を喜ばせるかということだと思うのです。料理に例えるなら、買い物に行けなくても、家にある材料（限られたリソース）を、組み合わせの想像力を働かせてどのように調理するか、そして美味しく食べられる最高の状態にして家族に出してあげるか、それは段取り能力にかかっていますよね。だから優秀な主婦は優秀な経営者になる資質があるのです。

私は仕事ができる女の人というのは、料理がうまくて、もてると思っているんです。料理上手の人は、段取りができるから上手なのです。それから女社長はもてなきゃダメだと思っています。男の人でも、仕事のできる男性はやはりもてます。それはとても大事なこと。やはり、相手のことをよく見ているからでしょう。相手のニーズを満たすとか、相手の求めているものを言われなくても差し出せるとか、自分の資源（持っているもの、性格など）をどう相手に見

せるとか、そういう気配りはビジネスの能力に直結していきます。

まずはその場所で頭一つ出るように

今までやってきたことを引きずっていくことが、起業なんです。せっかく今まで身につけた経験は貴重なものですから、活かしたほうがいいに決まっています。ただ、それを**自分なりにパッケージ化することが起業なんです**。現在、会社に勤めているなら、まずその第一ステップとしてその業務の中でプロフェッショナルになるということが大事だと思います。あなたが辞めたら、その会社の社長はあなたにその仕事をアウトソーシングしてくれるようになるでしょうか？　きっとそうなる、自信がある、というまで自分の立場を揺るぎないものにしてください。人としてそれぐらいの価値がある財産だと会社に思われないと、起業してからもうまくいくはずがない、そう私は思っているんです。**会社はお給料をもらいながらできる最高の修業**だと思って、自分がその中で頭一つ以上抜きん出るようにがんばる。そういう気持ちでやってください。

すると、その次の視界が開けてきます。私自身も最初はマーケティングをやろうと思って起

業したわけではありませんでした。最初は何でも請け負うフリーランスでした。忙しい社長に代わって本を読んで要約したりなんかもしていました。そういう仕事を頼まれていくうちに、「私に求められていることは、女性の意見をどうビジネスにつなげていけばいいのか模索している男性社長のサポートかな」と思いました。それをパターン化するとこうなるのではないかというふうに思ったのが、女性対象のリサーチとマーケティング事業を始めたきっかけでした。こういう展開で進められたのは、自分に対する周りの信頼が土台になったのだろうと考えています。

会社に勤めていて得る人脈は本当に大きいと思います。**でも、誤解しないでいただきたいのは、勤めていた会社のお客様を起業することによって奪うのは、明らかにルール違反です**。私は独立したときに、もとのお客様たちから仕事をもらいましたが、全然違う業務でした。同じサービスで起業する人は、もといた会社がより発展するように上手に話し合っていくことが大切です。ビジネス社会で信用を失ってしまうとなかなか取り戻すことができません。

ただ、自分の会社のサービスが立ち上がったときに、いままでいた会社と違うサービスを、もとの会社を通じて知った人に買っていただくことはもちろん大丈夫だと思います。私も以前在籍していた、リクルートや楽天に、「儲かっているんだから買ってくださいよ！」と半ば強制的に買ってもらったりしました。もといた会社のノウハウを使って同じことをやる人という

のは少なくはないと思いますが、立派な企業になるとは考えにくいものです。そんなことをして会社を辞めるのだったら、そこでもっとできることをやればいいのにと思います。中抜きされるのが嫌だからと自分でやるという、そういう考え方を持っている人は、本当は会社の仕組みがわかっていない人だと思います。従業員一人当たりの売り上げは、その人の給料だけではないんです。会社の基盤や設備投資、広告宣伝費、家賃、保険、そのほかもろもろのものに使われるのです。だから会社は、長期の信頼を得ていくことができるのです。日本電産社長の永守重信さんが「年収の最低五倍の粗利を出して、やっと給与泥棒にならんのだ」とおっしゃっていました。ぜひそれ以上を目指してください。

今の仕事とまったく別の事業をやりたいなら

起業は人生をリセットすることと考えている人が結構多いんです。今の私は満たされないから、会社をやりたい、という結論にいきついた人たちもいますが、喜びや楽しさを拡張するというスタンスから始めるほうがいいのではないかと思います。

よく女性で、「カフェをやりたい」と突発的なアイディアを出す人がいます。全然経験のな

いサービスを起業したいと言うんですけど、**いきなり、今までの経験とまったくつながりのないところで起業するのは失敗しやすいんです。**

私は会社でやっていた業務からの延長として起業したのですが、少しでも楽に成功しやすい形として、そういう方法を皆さんに勧めています。しかし、すべての人が、現在の仕事をそのまま続けたいと思っているとは限りません。女性起業塾にも、今の仕事が嫌なので、ほかの仕事に変えたい、その一つの方法として起業したいという人はたくさん来ています。卒業して、今の会社に安定性だけ求めて働きはじめ、けっこう長く働いている。お金はそこそこもらっている。だけど、自分が一番やりたいことではないのがわかっているから、これを今後続けていく気はないし、ここらへんで辞めて起業してみようかと思っている、という人です。

この場合、〝前職からの経験を次につなげていく〟ということができなくなります。そういう人には次の方法があります。

別業種の起業につながるキャリア

いきなり起業しないで、勉強のためにも成長の早いベンチャーにまず一回、転職することを

お勧めしています。たとえばカフェをやりたいのだったら、一回、どこかのカフェに就職して、店長になってから起業しようと考えたほうが安全です。しかも人脈、経験を自分の中に蓄積できます。生きる場所を変えるのなら、今の場所から少しずつそっちの方向に向かっていくというのが賢明な方法で、一足飛びに行こうと思うから無理が生じる。一段ずつ階段をつくっていけばいいんです。

起業が目標としてあるのなら、転職を少なく履歴書をきれいに、なんて考えるより、いろんなところで道場破りみたいに出向いていって力をつけてみましょう。会社側でもその短い間で業績を出してくれれば、別に赤字社員ではないのだから、むしろ辞められるのが惜しいくらいです。そうなれば給料泥棒とは思われないでしょう。

起業の時期は一年後または二年後に、と思うのであれば、それまでは自分がやりたい業種に結構近いものとか、もしくは、こういう社長になりたいと思う人のそばに飛び込んでいけばいいのではないでしょうか。そして寝食を忘れて、死ぬほど働けば、スピードの遅い会社にいる五年分を二〜三カ月で、たぶん吸収できるでしょう。そうやって**キャリアをショートカットしていくことができれば、もっと夢に近づいていけます**。

大企業では、大きな中の一部分しか見えないものです。でも小さな会社なら誰しも全体を見

渡せる。だから、どんどん本質に近寄っていけばいいのです。それに、優秀で認められるような人がベンチャーに行ったら、案外すぐに管理職になれるだろうし、そして社長のそばで働けるようになります。サイバーエージェント社長の藤田晋さんという方は、社長にどうしてもなりたいからこの会社を辞めさせてくれと頼んだとき、会社から、「では君に出資させてくれ」と言われたそうです。本当に惜しまれる人材なら、そういうことがよくあると思います。

年齢が若くなくても大丈夫

今までの話は、結構若い人が対象ですが、起業の夢を温め続けて早二〇年、なんて人でもあきらめないでください。四〇代ぐらいまで一般企業で働いてきたけれど、ずっとお惣菜屋さんをやりたかった、というような人の場合は、まずその業界に飛び込んでください。年齢を考えると、その会社に正社員で就職して幹部候補になることは難しいでしょう。でもお惣菜屋さんなら、レジ打ちのバイトや店員さんとしてなら必ず雇ってくれるはずです。**業種は何でもいいから、目指す業界に入り込めばいいんです。そこで一生懸命やる。そうしたら、その人の器にあった仕事が絶対にくるんです。**

レジ打ちの仕事をしながらでも、「どういうお客様が、どういう時間で、どうやって買っていくのか」ということがわかるようになります。ふと回ってきたスーパーバイザーの人に自分なりの意見を言えたりすると、「あ、この人は違う。このレジに置いておくには能力が余ってしまっている」と思われるわけです。何しろ目指すべき業界に入れば、そこの空気を吸えるし、そこの事情を把握できます。スパイですよね、ある意味で。でもこうすれば成功する確率は格段に上がると思います。なんの経験もなしにいきなり、その中心部に飛び込んでいくのは危険過ぎます。

確か吉野家の社長さんも、吉野家のアルバイトから社長になったとどこかの記事で読んだ記憶があります。一生懸命一つのことを大きな視点で仕事をしていると、自分の器にあった仕事のチャンスが勝手にやってくるものなのです。

でも多くの人がいきなり始めたがるのです。「レストランをやりたい」なんて言って、いきなり何千万円もかけるような大胆な行動をするんです。私ならまずは、ラ・ボエムやモンスーンカフェなどを展開しているグローバルダイニングに勤めると思います。そこで、一番、売れる店長になって、稼いで辞める。それでいいと思いますね。そういうのが実は一番、最短距離だと思います。**早く成功したければ、一見遠回りに見えても、最短で確実にいける道を選んでください**。私はいつも速いスピードにこだわっています。女性のキャリア形成は男性よりもち

ょっと急ぎ足で考えていったほうがいいので、最短ルートを意識していたほうがいいでしょう。
だから立ち上げの前にやるべきことは、できるだけ中心部に近寄ってその世界を知るということです。

事業計画書を書く

やりたいことがだいたいイメージできる人は、すでに事業計画を書く段階に入っています。
「事業計画」というと難しく感じる人もいるかもしれませんが、そんなことはありませんよ。**「どんなサービスを」「誰に」「どのように売るのか」、そして「どうすればそれが実現可能なのか」、それだけを書けばいいんです。**

でもその前に一回、自分に問いかけてみましょう。事業計画書は、何のために書くのでしょうか？　ときどき事業計画書を書くために書く人がいるんです。つまり事業計画書の目的は単にそれを作り上げることになってしまっているのですが、これではいけません。

答えは簡単です。事業計画書を書く前には、誰でもすでに頭の中でぼんやりと目標を設定しているはずですが、その目標を達成するため、どんな手順で何をやっていくのか、頭で考えて

いることを紙に書く。それが事業計画書です。だから**事業計画書は、まず自分のために書くのです**。自分の頭を整理し、目標を達成するのが第一の目的ですから、手書きでも何でもいいと思いますが、ちゃんと作っておいたほうが人に見せられるという意味では、自分のためとはいえ、人に見せられるレベルの体裁に仕上げておくほうがいいでしょう。そうすれば自分で自分の計画が客観性を持って眺められます。

自分のやろうとしている事業がどういう意味があるのか、社会的にどんな位置づけか、どういうふうに説明したらわかりやすいのか、どうやってお客様をとるのかというようなことをどんどん書いていけばいいのです。決まった形態にこだわらず、何よりも自分のためにまず書いてみることです。やはり事業計画書というものは、絵に描いた餅より、生きていたほうがいいのです。

何を売るか
どうやって売るか
誰に売るか
それをどうやって実現していくのか
どの部分で儲けられるか

自分の得意なことは何か
なぜ自分がそれをやるのか
商品力はあるのか
時代の流れにはあっているか
競合はどれくらいいるか
競合とどう差別化したらいいか
関連商品はどういう展開が可能か
……など。

さまざまな角度から、いま計画している事業について分析して書いていくのがいいでしょう。これによって頭が整理され、また弱い部分が明確になるので、強化すべきポイントも浮かび上がってきます。だから一つ書いたら終わり、ではないのです。書いてみたら、たとえば経営者の知り合いに見せてご意見を伺うのです。その人の意見を吸収して再度書き直すのです。**納得するものが書けるまで、何度でも何度でも、書き続けるのです。**違うパターンのビジネスを考えついたらそのときにはまた新しく、いろいろとたくさん書いてほしいのです。

私は、事業計画書を結構たくさん書いていました。二〇〇四年に今の場所に会社を引っ越し

たときに、VOL.1から始まって、山のような事業計画書が出てきたのを見て驚きました。こんな書いていたことを、すっかり忘れていたんです。古い事業計画書にはいろんな社長さんからの手書きのアドバイスまでも入っていたりしました。

書くことは実現のスピードを速めます。しかもアイディアが現実的になりますから、必ず書いたほうがいいと思います。こういうことをしたいといった場合に、それが本当に事業チャンスがあるのかとか調べたり、うまくいくのかということを書きながら、形にしていくことによって、だんだん詰めなければいけない部分も浮かび上がってきます。起業を成功させるためのひとつのシナリオみたいなものです。

実際始めると、計画書からずれてくることもたくさんあります。最初から思いどおりになんかいかないものです。でもやはり初めの段階で事業計画をしっかり書いているからこそ、シミュレーションができて、軌道修正がしやすいし慌てない。あそこで失敗したと思ったら、その場所まで立ち戻ることもできる。それは大きなメリットです。

私は本当に不安性なんです。**できたら確実な道をたどりたい**。この私でもできる、と思うことしかやりたくないんです。でもできることだけやっていたら大きくならない。それは本当です。だから、**できると自分で確信するまでは、イメージが鮮明になるまで、ひたすら考えて、徹底的に練り直して、やれることはすべてやって、それで踏み出すんです**。

失敗のラインを明確にする

事業を始める前に、失敗したらどうしようと思うのは仕方がないことで、その恐怖心を乗り越えられない人が多いのではないでしょうか。でも皆同じなんです。誰でもやはり失敗が怖いんです。ではあなたにとって、失敗って何でしょうか？　せっかくだから、失敗の定義づけもしておきませんか？　**失敗の私の定義は、自分の貯金がショートしたときです。**

もちろん、貯金なんてなくたって始める人もかなりいるので、そういう決め方はすべての人にはあてはまらないと思いますが、女性は手堅い人が多くて、自分で貯めたお金で小さく起業しようと思っている人が多いのです。だから借金して始めるのもひとつの方法ではありますけれど、やはり借金をしたくないから貯金の範囲内でやりたい、と思う人は、どこでストップするかの線引きをはっきり決めたらどうでしょうか。

もっと具体的に言えば、自分の力で貯めた三〇〇万円から始めて、その三〇〇万円がなくなったらやめるという感じに割り切っていいと私は思います。「お金がショートしたら転職する」っていうのも一つの選択です。再度会社に勤めて、自分に足りなかった経験をお給料をいただ

きながら積み直す。実績を出しながら貯金をしてまた三〇〇万円貯まったら、再度チャレンジする。そう決めておけば、全然怖くない。**失うものは三〇〇万円ですが、それをかけて得た「起業」という経験は、その金額に値する以上の価値になると思います。**知らずに使ってしまった三〇〇万円。たとえば、旅行でなくなった、美味しいものを食べてなくなった、洋服を買って知らずになくなった三〇〇万円よりも、自分の力でサービスやお金を生み出そうとがんばった経験は、何事にも代えられないと思います。後々の人生を、仕事への考え方を、周囲への感謝の気持ちを、そういうものすべてを豊かにする経験を買ったことになると実感できます。つまり、最初から、きちんとデッドラインを決めてやれば「失敗の恐怖」は三〇〇万円の損失とそれ以上の経験であって、それほど怖くないと思います。

起業した時点でお客様がいると安心

ここでお話ししたいのは、**起業の時点で、お客様になってくれる可能性の高い人が多ければそれだけ安心ということです。**何度もお話ししているように、あなたが会社にいる間にできる限りのことをやっておいて、もう自分に合格点をあげよう、だから辞める、そういう状態にし

ておくのが一番なんです。きちんと筋を通して辞めるなら、勤めていた会社から逆に仕事を発注されることになるかもしれません。もともとお仕事していたお客様と強固な信頼関係があれば、違うサービスをやったときに、最初のお客様になってくださることも現実にあります。まず信頼という形を作っていってください。

起業してからお客様を見つけるのは大変です。あなたの会社のことは誰も知らないでしょうし、業務のことを説明しても、最初は誰も聞いてくれないかもしれません。営業にいくら歩いても、広告に何十万円使っても、その効果はあまり出ないんです。それは私の経験からも言えることです。

ですから、最初の段階からお客様がいて起業できれば、精神的にはかなり楽です。そのためには、何度も繰り返しますが、**人間関係を大切にする**。**どんな仕事でもしっかり結果を出す**。**そうやって「個人」としての安心感を周囲に植え付ける人物になることです**。同時に、たとえばネット上で日記（ブログ）を書いてあらかじめ潜在顧客をつかんでおくとか、社外に知人友人をたくさん持っておくとか、そうやって自分自身の信頼度と認知度を上げておくといいかもしれません。

自営業モデル型か、経営型か

会社のやり方は大きく二パターンがあります、**自営業モデル型でやるのか、経営型でやるのか**です。しょっぱなから経営型で人を雇って、新しい事業をやるという方法もあるんですが、**私の場合は、近い将来経営型に移ることを前提に、自営業モデル型で軍資金をつくりました。**だからまずは、自分ができることをどんどんお金に換えていったのです。それまで信頼関係のある人たちに、「コンサルティングやります」「なんでもやります」「こんなこともできます」といって仕事をいただくやり方から始めました。それで収入を最低限確保しつつ、次の事業を考えるというスタイルでした。

たとえば私の会社トレンダーズでも、ネイリストの派遣事業が実際に動き出すまでにはかなり時間がかかりました。事業全体を構築して、お客様を獲得して、サービスの質を整えるというのは相当時間がかかることです。ネイリストの派遣をやろうと決めてからお客様の入金があって、売り上げが安定するまで、実に一年以上の時間がかかりました。それでも、片方で別の収入があれば、新しい事業からの収入はゼロでも、それほど切羽詰まりません。新規事業にじ

っくり取り組めます。次第に自分の目指す方向に進んで、形が整っているならばいいのです。だから、さしあたって稼げる方法があるなら、まずそれをやるべきです。起業当初はやはり売り上げがないと不安ですから、前職のノウハウを活かしてお金を稼ぐことも大事です。

ただ、そのことにはもちろんデメリットもあります。気持ちが分散しやすい人は、自営業モデル型だけで終わってしまう可能性があるわけです。それから、人に任せられない人もそのままの可能性が高くなります。人って何かを一度始めて、それなりにうまくいくと、変わるのが面倒くさくなるんですね。特に自分で稼げてしまう人は、事業を構築する、とか、従業員を教育して売り上げを上げてもらう、ということが面倒になったり、準備潜伏期間に我慢できなくなったりすることがあります。そのうち、今のままでいいやと思って、結局どんどん自分だけが忙しくなってしまうのです。長期的に会社を安定させたかったらきちんと事業を考えないと難しいですし、「経営型」にしたかったら、どこかでタイミングを見て変えていく必要があります。

表現力で人の心をつかむ

起業準備期間でもうひとつ、鍛えておいたほうがいいのは、表現力をつけるということなんです。社長になったら、自分はどういう事業をやっているかということを、たとえばエレベーターの中で会った人に、パッと言わなきゃいけないシーンがあったり、ちょっと名刺交換をした瞬間に言わなきゃいけないシーンがあったりします。新しく人を雇ったときにも、マスコミの取材のときにも、自分の考えていることを、わかりやすく伝えることが必要になってくるのです。**そのときに相手が心を動かされるような表現力があると、とても強いんです。これを訓練する一番いい方法は、日記を書くことなんです。**

これも実際に女性起業塾でも生徒さんにやってもらって、効果は実証されているのですが、女性はとかく主観的に物事を考えるせいか、表現が「私はこう思う」で終わってしまって、説得力がないんです。しかもそれが間違っていたり、後ろ向きだったりという傾向がしばしば見うけられます。

でも、社長として人に伝えるために日記を書き続けると、どういうふうに書けば人に伝わる

のかというのがわかっていく。物事を客観的に見る訓練ができたり、毎日、毎日、テーマを設定したりすることによって、表現力は格段についていく。同時にネット上のブログを使えば、関連する人から声がかかってきたり、知り合いができたり、自分の毎日を応援してくれる人が現れて起業する前に潜在的なお客様を持つことができたりします。だから私はこの本を読んでいる皆さんに、ぜひ日記をつけてみてとオススメします。**文章を書く、それも毎日書くということによって、人にものを伝える能力が備わるのです。**

（ちなみに、私が毎日書いている日記はこちらです。http://www.w-e.jp/sdiary/index.php）

第三章
会社を成功させるキーワード

「人には二種類しかいない。ここまでやったからってあきらめる人と、何が何でもあらゆる手段を考えても達成する人だ」

これは楽天の三木谷浩史社長の言葉です。

「たぶん、普通人間にはそれほど能力の差はない。でも、意識の差は一〇〇倍も二〇〇倍もあるのだ」と、どなたかの著書でも読んだ記憶があります。**最初から成功する能力を持った人がいるわけではなくて、成功するぞという意識が誰よりも強いから成功するのだと思います。**何が何でもあらゆる手段を考えても達成する人。これこそ、成功する人の姿なのです。あきらめ

てストップした時点で失敗です。つまり**成功はギャンブルではない**。毎日少しずつ前進して、壁があれば壊したり乗り越えたり別の道を探したりとあきらめずに進んでいけば、誰にでもできるのです。**成功するまでやめなければいいんです**。成功するために、ありとあらゆる想像力を駆使して、工夫して、乗り越えていくだけなんです。

成功への道のりは簡単ではないかもしれませんが、思いつきで手当たり次第必死でやっても、それは見当違いの努力になってしまいます。成功は意気込みだけでできるものではありません。私は皆さんに必死でがんばりましょうと言いますが、やみくもにがんばってくださいという意味ではありません。成功するためには、**成功した人たちの使った地図を使い**、**その人たちの歩いてきた道をたどることが早道ではないでしょうか**。私は私の使っている地図をここに公開したいと思います。**一人でも多くの、成功した女性起業家を増やしたいし、仕事も家庭も両方楽しむ人生を生きてほしいからです**。真面目に努力を続けたあなたにはきっとそれらを受け取る権利があります。

この章はこの本の一番肝心な部分、私が皆さんに教えたいことが濃縮され詰まっているところです。この世に、〝楽に成功する方法〟なんてどこにもないけれど、**ぜひ地図を使って、「シンプル」に「正しい」成功をしてください**。私の経験から、最も成功しやすい道を描いたもの

です。これから、「経営を安定化させるためのキーワード」についてお話したいと思います。女性経営者を目指す皆さんに使ってもらいたいと思います。**女性の人生は忙しい。私たちは男性よりも速く成功しなければならないのです。そして、人生のバランスもとらなくてはいけない。**これなら道に迷わず、ムダな努力も要りません。言わば正しい成功への最短コースです。

では行きましょう！

経営を安定させるための五つのキーワード

女性経営者は、何よりも会社に安定を求めるものです。ジェットコースターのような経営を好む人は少ないと思います。そして会社を安定させると同時に、不安要素もできるだけ少なく、つまりリスクを最小限にしたい。女性はそういうことが常に頭の中にあるのです。それらを踏まえて、女性の経営する会社が安定し、確実に成功に向かっていくための段階を五つに分けてしまいました。そして、本書にも何度も出てきますが、**私が思う成功というのは、「自分の人生のバランスも保ちながらも、社会に必要な存在になること」です。**会社の創業から最終ゴールまでは、五つのステージに分かれており、それぞれのステージにある目標を十分超えたときが、

次に進むタイミングになります。その要件が満たされないうちは、今いるステージをクリアできるようにがんばりましょう。常に目の前にあるバケツを一杯にしてから、次の少し大きなバケツに水を満たしていくという確実な方法でやっていけば、多少スピードは遅くても必ずたどりつくことができると確信しています。

1. 事業ドメインを明確にする
2. 事業として確立する
3. リスクを分散し、顧客を創造し続ける
4. 組織を構築する
5. 社会に必要な存在となる

会社はこのように成長し進んでいきます。それでは各ステージごとに「経営を安定させるキーワード」を説明していきましょう。

「小さなマーケットでオンリーワンになる」

1．事業ドメインを明確にする

起業するとき、最初に考えるべきことは、事業の内容を選ぶことです。どんなことを事業として選ぶか、事業ドメインを明確にする必要があります。わかりやすくいうなら、「**何を**」**事業にして、**「**誰に**」「**何を**」**売るのかというのを明確にすることです。**

これが一番大事なのです。どんなに優秀な経営者でも、扱うものを間違えれば失敗します。上りのエスカレーターをさらにかけ足で上っていけば、ぐんぐん進める。でも、下りのエスカレーターをがんばって駆け上がろうとしても、疲れる割にはほとんど進めない。汗をかいて息切れして上っても、ぜんぜんダメという結果になるのです。誰だって努力は実らせたいものです。せっかくがんばってやっていくなら、それが報われるような、上りのエスカレーターを選んでください。

年商一億円、社員三～四人、あなたの年収が二〇〇〇万円から三〇〇〇万円という事業モデルでは、どちらかというとオンリーワンビジネス、つまりニッチの、まだあまり多くの人が着手してないものを選んでいくほうがいいと思います。最初、お客様はあなたの商品を知りませ

んから、啓蒙するまでに時間がかかります。オンリーワンの商品の弱みは、お客様がまだそれを知らないことが多いということです。まずは商品説明から丁寧にやって、きちんと理解してもらわなければいけないから、ツーステップあるわけです。

たとえばこれからは高齢化社会だから、高齢者向けのサービスならニーズが拡大する予感があると考える。そこで、女性にエステが人気だから、高齢者向けのエステサービスを考えてみる。高齢者の方は、まだエステの良さを知らない。もしくは、エステという単語も知らないかもしれない。だからこそ高齢者の方にはあなたのエステサービスはオンリーワンの商品になります。もしエステのことを彼らが知っていれば、商品の認知はなされているのだから、その先の説明の段階になります。たとえば、なぜ、高齢者にエステがいいのか？　通常のエステと違ったどのような工夫がされているのか？　お客様のニーズに合わせて商品、サービスをブラッシュアップさせていくのです。彼らがあなたのエステサービスをほしいとなったら、あなたはオンリーワンの商品を供給する業者としてその市場を独占できます。

オンリーワンビジネスで一億円やろうと思ったら、強烈な商品のオリジナリティーがある程度ないと売れていきません。人が思わず周囲に伝えたくなるような工夫があって口コミが発生しやすいというレベルです。社員三〜四人で年商一億円上げようと思ったら、社員は営業しなくても、問い合わせに対応しているだけでも売れていくような運営の仕方ではないと、高収益

が保てません。新規開拓や広告費にお金がかかることというのは原価を上げることになります。サービスの提供の方法も、リピートするものではなくて、一回使って終わるものというのは、結局焼き畑農業のようにずっと畑を焼き続けていかなくてはいけませんから、なるべくお客様が繰り返し使ってくださるものを選びます。**できるならば単価が高くて、確実に利益の出るもの、お客様が最大限喜んでいただけるクオリティーの高いもの。そういったものを選んで大事に大事に売っていくということです。そして、一度購入してくださったお客様とよい関係を保つことです。**できるだけ長く深い関係を作り、できるだけお客様と接触を多くするように心がけ、できるだけお客様の情報を知っているという状況を作るのです。そういうほうがお客様も安心して自分のことを話してくださいますし、一度信頼関係ができたら、わざわざ他のところに行こうと思わないものです。

やはり**オンリーワンビジネスの生き残りの秘訣はオリジナリティーとクオリティーです。**規模ではありません。量と質でいえば、質が一番だからオンリーワンになれる。たとえばエルメスのような高級ブランドがそうですよね。マスを対象にした勝負は最初からしない。やはり質がどこまで高いかが決め手です。質の高さをほしがるお客様と信頼関係を構築していく。**トレンダーズが行っているF1層のマーケティングも、結局トレンドリーダーというクオリティーだけは守るということによって他のマーケティング会社と差別化し、生き残っています。**たと

えどこかの後発会社に事業を真似されて値段を数分の一にされたとしても、クオリティーが維持できていれば、それが一つの参入障壁になりますし、価格で負けることはありません。中小企業向けに、マスコミに掲載して差し上げるというPR事業を始めたときも、類似のサービスがたくさん出てきました。でも私たちはそのサービスを立ち上げた時点で、すでに何百社のマスコミの方ともリレーションがあり、そのリレーションを途絶えさせない努力をしていましたし、リリースを書くたび、ノウハウを蓄積していきました。同時に取材もたくさん受けていましたので、マスコミの方とはどうやって取材を受ければ効果が上がるのかなど、サービスとそのノウハウが進化していくことで、日々クオリティーが上がっていきました。結果として、自社PR商品の効果をどこよりも向上させることができ、売り上げは下がりませんでした。逆に類似のサービスが増えたので、「一番ちゃんとやってくれる会社」として新たな認知層にも広がっていくことができました。

自分よりずっと大きい競合会社、いまは勝てない相手がいたとしても、むしろ目標みたいな感じで考えて、いつもその会社の動向を見ているといいと思います。改善されたところを見つけたら、何で改善したんだろうとか、その背景を調査したり分析する。そうやって常にキャッチアップして勉強材料にさせていただくことがとても大事だと思います。ただ、あまり周りに振り回され過ぎず、あくまでも自分たちのお客様にとって大事だと思うことをきちんと追求す

るということが大事だと思います。

2．事業として確立する

「客観性を持たせる。論理的思考を持つ」

あなたの売りたいものが明確になったら、それを事業として確立するには、やはり客観性、論理的思考を持って、それをつくり上げていくことを忘れないでください。つまり、**第一ステージで考えた自分のオンリーワンのビジネスを、いかに世の中に欠くべからざる事業として確立するかが腕の見せ所となります。**同時に、事業の基本の最低限のラインをちゃんと世の中の経営レベルに合わせるようにしてください。電話の応対も、サービスの流れも、一連の流れは平均点を獲得しておいて、その上に自社だけにある強みを明確に持たせる。つまり、サービスの流れをどうやってつくるかとか、どうやってお客様を獲得するのかとか、そういった全体の事業の流れというのをきちんとつくることが必要になります。どんなにユニークでオリジナルなサービスでも、お客様にとってわかりにくかったり、使いにくかったりしたら、せっかくの強みが印象に残りません。そのために一番いい方法は、新サービスを立ち上げたら、周囲の知

人や友人、すでにリレーションのできているお客様に、キャンペーンやモニターみたいな形で、最初だけ無料で使ってもらうことです。要は試食をしていただくみたいなものですが、おいしいとかまずいとか、ここがヘンだとか、ここが良かったなどの率直な意見を聞きながら、それでお客様が入ってから出ていくまでの流れがスムーズになるように整えていけばいいのです。

サービスの質を保つのがまず基本レベルです。そしてお客様が事業を客観的に理解し表現できるように、事業のフローを作成する。これが重要です。その後その基盤に、たくさんお客様が流れてこなければならないので、それは顧客を創造するというフェーズになります。

あなたの商品を、一人でも多くの人に知らせて、買ってもらえるような事業の流れをつくらなければなりません。お客様が常に来る、固定のお客様がリピートしてくださるような循環をつくるということと、さらに、**その事業をより長期的に継続、安定させるために、お客様を創造するだけでなく、クオリティーをどんどん高めていくことを同時にやるわけです。**事業のスタート時は、もちろん完璧ではないし、改善の余地のあるスタートでもありますから、市場の反応を見ながら、少しずつお客様のニーズに合わせて、商品、サービスのＰＲポイントを変えていく、いつもアンテナを張っている意識が大切です。

たとえば当初女性起業塾というのは、ただ先生たちが来て、話してもらって、あとは質疑応

答みたいなシンプルなものでした。今はいろいろとバリエーションが増えてきています。ビジネスプランの発表の場所としたり、コースを二つに分けるとか、卒業生にメンターをやってもらうとか、卒業後もオンラインのコミュニティーがあるとか、そうやって少しずつ変化していますす。それは、「毎回受講生にアンケートをとって意見を受け取る」という流れを、女性起業塾の事業の流れに組み込んでいるからです。もう少し身近にサポートがほしいといわれれば、卒業生にメンターになってもらってコミュニケーションを活性化させる。入塾前にも交流したいというニーズがあれば、ソーシャルネットワーク（http://only1.be）やメーリングリストで自己紹介してもらうとか、事前にある程度勉強しておきたいニーズがあれば私が読んでよかったと思う本を課題に出してみたり。このように時間がたてばたつほど経験が強みに変わるような事業にしていけるのです。

サービスをどんどん進化させていくことができれば、ますますお客様との強固な信頼関係ができて、勝ち残れるはずです。**自社のサービスは、時代とお客様のニーズに合わせて、微調整を重ねながら最良の形に変えていくことで強くなっていくのです。**

3．リスクを分散し、顧客を創造し続ける

「バランスをとり、長期継続、安定させる」

事業も回り始め、スムーズにサービスが流れるようになって、常に新規のお客様の流入が安定し、リピート率も向上してきて、ある程度、会社の形ができたなと思ったら、今度はこれを守りながら発展させることを考えてください。バランスを保って、長期的に継続、安定化させるためにはリスクを分散し、顧客を創造し続ける。私が実際やったのは、最初の事業（マーケティング）がある程度うまくいったら、次はネイリストの派遣とか、広報担当とか、女性起業塾とか、コンセプトが違うものを、自社の強みとノウハウを活かして横展開をしていくことによって、複合的に構成したことです。

今、私の会社では四つ事業部がありますから、たとえひとつの事業がなくなったとしても、すぐに困ることはありません。一人当たりの顧客単価というのが長期的に上がっていくように考えて進めています。つまり、マーケティングのお客様に商品開発をお手伝いさせていただいた後には、その商品をＰＲするためにＷｅｂ制作をやらせていただいたり、マスコミＰＲをやらせていただいたり、というように。いったんお客様になってくださった人たちを徹底的に大

切にし、信頼関係を長期に継続、維持していきます。これで事業は安定しやすくなります。こうしていくほうが、新たに新規開拓をするよりは効率がいいと思いますし、従業員もお客様に信頼されて、ますますそれに応えようと質の高い仕事をしていくようになります。結局これらのことは、リスクを最小にして、事業を安定させるためにやっているわけです。

4．組織を構築する

「経営者が勉強し続け、人材育成に力を注ぐ」

業務が順調に回るようになれば、あなたが毎日必死で見ていなくても、組織としての循環が安定的に行われるようになります。これぐらいになると、ある程度、ちゃんと会社らしい姿にはなっていきますが、まだこれは社長一人の力でも経営が成り立ってしまうレベルです。この次は、やはり社長自身が組織をきちんと構築する能力がないといけない。ということは、本格的に人を雇わなければならない、スタッフにひとり立ちしてもらわなくてはいけないということです。

つまりここは、**経営者自身がきちんと経営、マネジメントを勉強し続けて、人材育成に力を注ぐというステージです**。この段階まで来ると、あとは掛け算です。たとえば、私は一社目の会社をつくるときはすごく大変だったのですが、二社目、三社目は比較的楽でした。というより、一回通ってきた道だから、先がイメージできたし、それをなぞるほうがはるかに簡単ですよね。たとえば、トレンダーズもマーケティングという事業が確立できたから、次にネイル事業という新規事業をやるときは比較的楽でした。自分も経営者として成長しているし、一回ひととおりやっているから、すごく楽なんです。

オンリーワンをいくつも持つと強いということと同時に、たとえばトレンダーズの事業で言えば、マーケティングとPRには共通点、シナジーがありますから、そのおかげでお客様も共有できますし、単なるマーケティング会社と違った幅も持たせることができます。こういった意味で、事業展開というのは、今の場所から近いところでやっていくのがいいと思います。

5. 社会に必要な存在となる

「人間として成長し、社会的な役割を認識する」

あなたのつくった会社をずっと世の中に存在させ続けるためには、どうしたらいいのでしょうか？　そのためにはポジショニングが明確でないといけません。事業という意味だけでなく、**社会的な存在として世の中にごく自然に存在する**、社会からそれが欠如したら、明らかに今までと違う……という状態にまで持っていってこそ、この最終ステージは完成します。

経営者が人間として成長することはもちろんですが、それと同時に、その会社の社会的な所在、居場所のようなものを明確に社員が把握していなければいけないと思います。たとえばトレンダーズでいえば、女性起業塾というのは、単なる起業支援のセミナーではなくて、これから少子高齢化を迎える日本の中で、**女性がもっと輝く場所をたくさん作ること、後続する女性が憧れるようなモデルケースになるような人をたくさん育成する。仕事と女性としての人生を両立させて、安心して子どもを産める社会作りの一翼を担うこと**、を念頭に、他ではやっていない機関という意味でも社会的使命もあるという点で、簡単にはやめられないし、クオリティーは下げられない。そういった決意があるんです。会社内にそのような統一した意識があれば、

やはりお客様もそういうふうに見てくれるのです。確かに今、女性起業塾は、社会に必要な存在になってきていると思いますが、まだまだ認知が足りないと思います。しかし目指すべき方向には確実に向かっていますし、これを社員みんなが間違いなく認識してやっていると思っています。

リクルートの「とらばーゆ」という媒体は、認知度が十分高いし、女性の就職市場を切り開いたパイオニアです。時代を動かせる影響力を持つところまで到達した存在です。だから、トレンダーズとか女性起業塾も社会的な役割ということを考えれば、もっとやらなければならないことがあるのではといつも考えています。たとえば、女性が輝いて働くことを起業だけではなく、組織内で活躍するということで考えていくことも当然必要です。多くの日本の会社の中に優秀な女性が育成していく仕組みをつくらなければいけない。結婚出産で辞めてしまわず、両立させながら輝く女性が先輩にいれば、後輩もそれに続いていくという流れになる。そのためには、優秀な女性管理職がたくさんいなくてはいけません。でも、実際、現在の日本では女性管理職の比率が非常に低い。でも本来、女性を活用できない企業は顧客としての女性を味方にすることもできず、生き残ることができないはずです。

私たちは、女性起業塾の卒業生や、優秀な女性たちを、そういった人材を欲する企業へ紹介する、**日本で初めての、女性管理職（女性幹部）、女性社長の人材紹介サービスを始めました。**

また広く女性だけのネットワークをつくれるソーシャルネットワークサービスをオンライン上に作っています（http://only1.be)。

自分たちが社会に必要な存在であるということを認識したり、その意識を持っているだけで、仕事に誇りを持ってやり続けるモチベーションとなります。世の中にとって、たとえば今、楽天がなくなったら困るしトヨタ自動車がなくなっても困るように、「社会的なインフラとして認識される」ということができれば、企業としての存在価値が上がりますよね。いつの日か、**女性起業塾がなくなったら困る、小さいけれど社会の重要な一部分を担っている、というところまでこの組織を育てたいのです**。しかしそれは大企業になるということとイコールではないと思います。確かにソニー、トヨタという大企業がない日本は考えられないくらい、動かしようがないほど社会の一部になっていますが、ただそれらの大企業が成長していった頃は、大きな枠組みで世の中は構成されていて、そういう会社は一種、インフラのようにして大きくなれたのです。今は世の中がもっと複雑になってきて、小さな点々でポイント化されていると思います。だからその世の中の隙間に、自分も点を置く。点として存在するということで、その一員なんです。小さな点でもとび抜けていれば、きちんとその存在はわかるわけです。その点がないとそこの部分がぼやけてしまう。だから、小さな組織であっても、社会に必要な存在にま

で到達する、というのは、今の時代だからこそ、むしろ決して夢ではないんです。どうやったらそれだけ重要な存在になれるのかを日々考えて、その最終的なゴールに向かって歩いています。

人間って、赤ちゃんの時代はエゴの塊ですね。それがだんだん周りの気持ちを考慮するようになり、世の中に溶け込んでいきます。会社も同じような道をたどるように思います。会社を始めた最初の頃は、もう必死で、お客様からも受注をもぎ取るような勢いで営業することもあったかと思います。日々の積み重ねで成長していけば、ある時期それが意味のないことと気づく。すると、そんなことはやらなくなる。そうやっていくことでしか成長できないということです。自分を社会の一員として自覚し、融合するように少しずつ調整をしながら、社会の中で有機的に働く細胞のようになることが、会社にとっての成長の姿なんです。この本を読んでくださったあなたがそういう会社をつくってくれて、世の中にそういう会社がいっぱい増えたら本当に素敵だと思います。一緒にがんばっていきたいですね。

第四章
あなたのブランドで、オンリーワンになりましょう

ある特定の業種の中でオンリーワンになることはビジネス上、大変な強みになります。大企業が入り込んでこないくらいのニッチな市場を見つけて、あなたの会社がその市場をほぼ独占するような形になったら、それはオンリーワン化に成功しているといえます。それが私の提案している、年商一億円、社員三〜四人、という規模でやれたらいいのです。

このサイズのオンリーワンビジネスだと、特に「何を」「誰に」売るのかというのが非常に明確になります。「何を」「誰に」売るのかという具体的な対象を、事業プランを立てるときに考えていって、逆にそこからオンリーワンにしていくというのもあると思うし、オンリーワン

から落とし込んでいって「何を」「誰に」売るのかということを考えていく方法もあります。とにかくターゲットを明確にすることが大事です。でもこれは簡単なことではありませんね。日本はこんなに成熟しているのですから、自分が考えたことは、たいてい誰かが先にやっていると思って間違いないでしょう。もしかしたら、誰かがすでに試して、そしてダメだと判断して撤退した後かもしれません。しかし、それでも私はオンリーワンになる余地は十分残されていると考えています。これからそのことをお話ししましょう。

信用とブランドを作る

信用力がなければ、なかなかものは売れません。それではその信用力ってどうやってつくるのでしょうか。ここでいう信用力とはブランド力と言ってもいいのですけれど、**中小企業って、結局ブランド次第だと思います**。

中小企業というと、どうしてもまだ下請けのイメージがありますが、これからの中小企業はキャラが立っているというか、ユニークで、ほかでは手がけていないことをやるという特色を持った存在であれば生き残れると思います。大企業だとそこまでやったら収益が悪くなるか、

稼働力が悪くなってしまうことまで引き受ける。小さい会社で、機動性が高いからこそ、そこまでできるというようなことが大事です。

たとえば、トレンダーズみたいな会社でも富士通さんとか電通さんなどの大手企業とパートナー的に仕事することが求められます。ではそのためにどうしたらいいかというと、単なるもの真似仕事をやめて、オリジナルであることなんです。さらにそれをきっちりと表現できる、伝えられる経営者がいるということです。

自分がどうしたいか、どう思っているか、どうやろうとしているんだということをわかりやすく相手に伝えられることというのが絶対必要です。時代に必要だとか、時流に合っているとか、ユニークだとか、そういうビジネスとしての面白さだとか、そういうことをすべて備えておく必要があります。

信用をつけるには、薄皮を積み重ねるように信用を積み上げることしかありません。私たちは、「スタッフ日記」というのを創業以来毎日毎日、ずっと書いています。些細なことですが、名もない小さな会社でスタートしたときには、個人個人の真面目さとか、姿勢や感性を伝えて、そこから興味を持ってもらう。そして、それを一日も欠かさず真面目にやる。お正月も一日も休まないでずっと更新していく。そういう、つまらないことだけど、たゆまないイメージである信用がつくれたりします。たとえば中小企業で、社長が主役として前に出すぎる会社だとス

タッフの存在が感じられなかったり、力不足にみえたりしますが、うちの場合は「何とかさんの日記、読んでいますよ」などと言ってもらえます。スタッフが主役になれるというのもブランディングの一環です。

そして、お客様にとって、取引したい会社になるということが大事なんです。こちらからお願いして仕事ばかりしていると、必ず値段を叩かれたり、お客様の奴隷みたいな感じになりますね。そうではなくて、あくまでもパートナーとして仕事をする、そうできるまでに会社のイメージを上げていくんです。ぜひトレンダーズと仕事をしたいと思ってくれる人が増えるようにする。そのためにマスコミさんにたくさん記事を書いてもらうのです。すると、その記事を見た人が向こうから会いたいと言ってくださる。すでに世の中で信用のある媒体に自社のことが活字になるのは、一気に信頼、信用を獲得できるすごいことなんです。

本当に収益率が高いビジネスをやっていても、社員一人当たりの年間の売り上げが一〇〇〇万円しかないなら、原価が一割だとすると九〇〇万円で、社会保険とか家賃を考えたら、スタッフに払える給料は最大で三〇〇万円から四〇〇万円ぐらいです。あなたが会社をやるときには、収益率が高くて、売り上げが一人当たり何千万円も上げられるようなものを選ばないと、会社そのものを維持するのが非常に大変になると思います。

収益率を考えると、**何であれ最初に手がけるビジネスは、原価がなるべく安いもので、単価がなるべく高い、それが原則です。**そういう商材なりサービスを扱っていって、**さらに在庫を抱えない、仕入れコストがかからない、というふうにしていくかたちがいいんです。**社員一人当たり粗利益三〇〇万円ぐらい売り上げても、そのスタッフには多分社会保険も含めて六百万円が限界です。会社の財務体質を健全に保つなら、それくらいでなければ厳しいと思います。と考えていくと、おのずと月三〇〇万円以上を売り上げられるもの、それが可能になるものならないものがわかります。二〇日間稼働だと、最低一日一〇万円から十何万円の上がりのあるビジネスにすることになります。こうやって具体的に数字を細分化していくほうがよく見えてくると思います。

誰も踏んでいない土地を探しましょう

あなたは、いつも仕組みは男性が考え、組み込まれる側は女性であると思いこんでいませんか？　トレンダーズがマーケティングをやっているのも、そういう現状があるからなのです。世の中の社長は男性がほとんどなのに、消費の主役は女性。ビジネス創出の視点で見れば、ギ

ャップとか距離のあるところ、常にチャンスがあります。たとえば遠い距離は埋めなければなりませんね。いくら休みが長くても東京から北海道まで歩いていく人はいないから、そのために飛行機などの距離を埋めるモノがビジネスになります。こういう視点で見ていけば、世の中にまだまだギャップはたくさんあるとわかります。

古い習慣や体質を新しくしていくんです。どこが原因でそうなるんだろう？　とか、本当は面倒くさくても仕方がなくやっていることはないのか。本当は、どこを変えれば新しくなっていくんだろう？　というように考える習慣はニッチ市場を見つけるのにとても役に立つんです。

たとえば、これからＷｅｂ制作の事業を立ち上げようと思っても、今ではもうＷｅｂ制作というのは飽和状態ですからあまりいい商売にはなりません。しかし、たとえばお医者さんとか、弁護士さんとか税理士さんとか、古い体質が残っていて新しくならなければいけない業界に特化するのはどうでしょうか。お医者さんに特化したホームページを請け負えば、やればやるほどそこからノウハウが蓄積されていき、お客様にとってもメリットが大きくなっていくでしょう。その中で、何かをさらに特化させ、ますます専門性を高めることもできます。そういう志向でやっていくのです。オンリーワンになる。そういうことによって、あなたのビジネスに専門性が生まれます。

そのために、なるべく未開拓の土地、まだみんなが触れていないところに目を向けてみまし

ょう。

オンリーワン市場の見つけ方

オンリーワンになれる市場、自分が独占できる市場をどうやって探すのか。私はいつも連想ゲームでやっているんです。**経営者は結局、未来を読むことが仕事のようなものですから、占い師ではないんですけど、「これからどんな時代になるのか」「では次は何が必要とされるのか？」というのを読んで、先にそのサービスを提供する。**

たとえば私がネイリストの出張サービスをやったとき、ちょうど二〇〇〇年くらいでしたが、この頃世の中にはネイルサロンがどんどん増えていました。ネイルサロンが都内に増えてきて、ネイルスクールがたくさんできて、そこからネイリストがどんどん生まれていったのです。

こういう時、ネイリストたちは、「ネイルはこれからもっとブームになるの？」と考えると思うのです。それは本当に正しいかどうか？　ここから連想ゲームの始まりです。

ではここで、ネイリストが増えると社会にどういう現象が起こるだろうか、をテーマに連想ゲームをしてみましょう。

ネイリストが増える↓ネイルスクールが増える↓ネイリストとして就職する人が増える↓ネイリストは独立希望者が多い↓ネイリストの開業が増えるもしくは、仕事を求めるネイリストが増える

ほかにも、

ネイルブーム↓東京にさらにサロンが増える↓東京はもう飽和状態でも、地方はまだこれから↓全国にネイルブームが広がる

と連想できるでしょう。

この連想からは、ネイルサロンをリーズナブルなものに変化させて同じ市場に棲み分けするという方向に分岐させてもいけます。当時、ネイルは高級なイメージのサービスでした。しかしそうしないことによって新たな市場も生まれていくのです。

いずれにせよネイルスクールがいっぱいあるということは、これからネイリストがたくさん増える、と簡単に予測できました。ネイリストはとくに国家資格というわけではありません。お店が認めた人がネイリストです。大量に増えるであろうネイリストを受け入れるお店がどん

どん増えればいいのですが、おそらくそうはいかないだろうと考えられました。

では次はどうなっていくのか。東京ではネイルがはやっているけれども地方ではまだ価値が高い。仕事がほしいネイリストが地方に出張したらどうか？　ネイルはまだそうはいっても価格が高いから、無料でやってあげれば女性がたくさんイベントに集まるのではないか？　など連想をしていきます。そこで、高額商品の販売現場に女性を集客するツールとしてネイルイベントをやったらどうかと思いつきました。検証してみると、ネイリストは仕事ができるし、クライアントは女性が集客できかつ、ネイルを塗っている間は滞留時間が増えるので女性が商品に興味を持ってもらうチャンスも増え、販売促進につながる。女性のお客様は無料でネイルをやってもらえるからうれしい。つまり関わる人すべてがうれしいサービスができるのではないかという結論に達しました。

他にもいろいろと連想ゲームからアイディアはわきます。たとえば、今の時代だったら、明らかに問題になっていることは少子化と高齢化ですよね。それなら少子高齢化社会になったら、そこでは何が起きるのかと考える。高齢化だったら老人人口が増えるから、それを対象にするビジネスがいいのか。もしくは、子どもが減るから、たとえば親はもっと子どもを大事にすると考える方向にもいけます。でも、子どもが少ないこと自体は需要が減ることにつながるので、もしかしたら子どもを増やすための施策みたいなものが見つかれば、それはすごくお金が取れ

るかもしれない、では、子どもを増やすためのサポートとなる仕組みやサービスってどんなものだろうか？　働く女性の支援かな。そうやって考えていくといろいろと具体的なアイディアが浮かんでくるのではないでしょうか。

時流に乗ることの盲点

一時期、携帯電話でひと山当てた人がたくさんいました、NTTドコモなどの携帯電話を無料で配って、配っただけでNTTドコモ側からお金をもらえたので大学生がこぞって配った、そういう時代がありました。なぜその人たちにお金をあげたかというと、まずは皆が機器を持ってくれれば使うから、その通話料を見込んで、もう先行投資でどんどん配らせて、配った人にはキックバックしてお金をあげたんです。光通信は、最初それで大きくなった会社ですよね。それでどこかの業者が大学のサークルなどに接触してきて、彼らにどんどんそういうプチビジネスみたいなものをやらせたのです。だから大学生で毎月何百万円と儲けた人がたくさんいました。

でも、その人たちは、別に全員がそのまま仕事を維持継続しているわけではない。たまたま

その時代に合ったビジネスだったから、その上りのエスカレーターのスピードがすごく速くて、皆ロケットのような速度で行ったというだけです。

ただ、光通信は、その営業力が会社の力とノウハウになったから、携帯電話事業の後は安い固定回線だったり、コピー機だったり、どんどん高額の代理マージンが取れるものに扱う商品をシフトさせていますよね。

だから、どんなものを売れば成功しやすいかという四つのポイントの中に、「時流に乗った商品」というのがありましたが、それは大事なポイントではあるものの、ただ単に、時流に乗っていれば必ず成功するというわけでもなくて、その前に自分に実績があること、自信を持ってやれることかどうか、ということを自分に問いかけてもらいたいのです。

私の希少性と事業展開

最初のお客様は、過去にお世話になった方々とその繋がりの方ばかりでした。

「どんな採用戦略をたてて、どのような求人広告をどうやってリクルートと交渉して作ればたくさん優秀な人が集まるのか」。リクルート時代に求人広告の営業をやっていたので、求人広

告についても詳しかったんです。広告を出す側のことも社内の採用する側のこともよく知っていましたので、自信がありました。資本のたくさんある会社が新規採用に困っていたので、すべて一人で代行しました。リクルートとの求人広告の打ち合わせから、スケジューリング、採用説明会、書類選考、面接のセッティング、効果測定。その一連を請け負って、初期の優秀な人材を七人採用しました。まったくの新しい会社だったのですが、リクナビの週間人気企業ランキングで一位になるほど応募者の方に注目していただいて、クライアントさんにもご評価を得ることができ、大きな受注金額にもなりました。

他にも、楽天で楽天大学を設立した経験を活かして、フランチャイズ向けに教育研修プログラムをネット上につくってモチベーションを上げるシステムとくっつけるという、半年くらいの大きな仕事をいただいたこともありました。そんな感じで、だいたい五社くらいのクライアントの、半年くらいのスパンで継続している仕事を持っていたので、その間に、マーケティングの事業を始めようと準備を開始しました。

事業として正式にマーケティングを選んだのは、一番自分の強みを出せると判断したからです。 クライアントはほとんど男性経営者で、仕事の現場でも女性である私の意見がとても重宝されていたのです。希少性というのは、最もお金にかかわることです。希少であればお金を払っ

てでも必要になることがあるからです。調べてみると経営者の九五％が男性で、でも、消費の中心は女性。ものをつくっている人が男性で、買っている人が女性だからそこには感覚の違いから売れないサービスや商品がたくさんあるのだと気づきました。なので、優秀で感度の高い女性を集めて彼女たちの意見を経営者に届けることで、ヒット商品の販売のお手伝いができるのではないかと考えました。そこで、ただの女性マーケティングでは差別化できないので、F1という二〇歳から三四歳までの最も消費に影響力を与える層だけに母集団をくぎり、そのなかでもトレンドに敏感な情報感度の高い層に絞り込みました。まずは、私の友人一〇〇人に声をかけ、登録してもらって、リサーチやマーケティングを始めました。そうやってマーケティングが動き始めるとコンサルティングはその後は受注をせずに、社員教育と、マーケティングに関連するサービスを充実させることに集中しました。売り上げがそこそこ安定してきたら、マーケティングノウハウを活かして自社のオリジナル商品を開発しました。それが、ネイリストの派遣事業であり、女性起業塾でした。そして、そのネイリスト派遣や、女性起業塾をトレンドにし、売り出すためにPRのノウハウを思いっきり勉強し、工夫して仕組みをつくったので、今度はそれを、「広報担当」というPRサービスに展開しました。そうやって、まず確実な売り上げをつくって、その間に事業を考え、一つの事業を軌道に乗せてから、関連する事業も考えて、というように、だんだん少しずつ広げていくやり方で進んできました。

過去の白分に実績があることや、確信のあることを組み合わせて何かをやるのはとてもいいことです。だから、必ずしも現在会社でやっていることの繰り返しをやらなくても、組み合わせや範囲の縮小などのアイディアで、新しい商品、業態が生まれると思います。**まずは自分の希少性をよく分析することから始めたらいいのではないでしょうか。**

どうやってブランディングするか

会社のブランド力で言うと、会社自身のこうでありたいと望むイメージがきちんと認知されているということ。これが大事です。それはどういうことかというと、たとえばソニーがこうありたいというイメージがあったとして、しかしソニーという会社に対してのブランドイメージというのはお客様がつくるものですね。また、私がトレンダーズという会社の社員のイメージを決めたいと考えるとします。〝皆キラキラした女性でとても向上心が強い〟というのが私が打ち出したいスタッフのイメージ像だとします。それは私がつくり上げるだけではなくて、外からどういうふうに見たらそういうふうに思われるのか、そしてそれを一致させるにはどうしたらいいのかということが重要なのです。

このように、ブランディングというのはその両方をつなぎ合わせなくてはいけません。まず、すべきことは、「自分の会社をお客様が必要なタイミングで思い出してくれる状態にすること」です。今の世の中は、二四時間、情報で溢れ返っていて、友達の名前も忘れてしまいそうな時代です。テレビもあって、雑誌もあって、新商品の宣伝はどんどん流れてきます。テレビゲームも携帯もあって、そんな楽しいことだらけのなかで、どうすれば、時々、そして、お客様が必要とするときにトレンダーズのことを思い出してもらえるのでしょうか。

「繰り返し」と「定期的」。**これがキーワードです**。地味で拍子抜けするかもしれません。私たちは、接触した人に対して、情報を発信し続けるということを創業以来ずっとやってきました。いただいた名刺に対して、定期的に女性トレンドやマーケティング情報を送り続けるということだったり、毎日スタッフが日替わりで日記をお正月も休まず何年も続けることだったり、たとえばメールマガジンは朝の七時に必ず配信することだったり、クリスマスカードと暑中お見舞いカードはちょっと工夫してユニークなデザインにして必ず送ることだったり、という地道な発信です。

でも、定期的に、そして繰り返し「トレンダーズ」という名前を皆さんの脳に刻んでいっていただくことが大切なのです。そして、何かあったときに「女性マーケティングならトレンダーズさんですよね」とふと思い出していただく状態を常に作っておくことが大切なのです。

人は七回接触するとその人を信頼するという心理学的な報告があるそうです。創業から出会った人たちにはあくことなく情報発信を続けてきました。そうやって自分たちの存在とやっていることをきちんと伝え続けておくことがブランディングの第一歩になると思います。

女性の発想があれば強い

連想ゲームが不得意で、何も思い浮かばないんです、という人もいるでしょう。これはまず慣れの問題ですから、やり続けていればだんだんできるようになると思います。いわゆる経営者の発想、ビジネス的な視点ですが、誰にでも最初から備わっているものではありませんから、安心してください。新聞を読んだり、電車の中の中吊りを見たり、あるいは雑誌の見出しを見たりしては、では次はどんな展開になるのかな？　と予測していく習慣をつけるだけでだいぶ変わってくると思います。

とはいえ、女性の皆さんでしたら、経営者の発想は鍛える前からすでに備わっている感覚があり、それが大きな強みであることを覚えておいてください。**女性が男性に比べて大きく引き離している部分、それはマーケット感覚です**。女性はプロの消費者です。自分がプロフェッシ

ョナル消費者だからこそ、普段何かやっていることに対して、何がしかの不満とか、改善してほしいなと思っていることがあると思うのです。女性の発想で、既存のサービスを変えられるチャンスがあるのです。そうです。つまりアイディアというのは、別に経営者となったあなたが会議室に座ってぽっと生まれるものではないんです。生活の中で、こうだったらもっとうれしいのに、というところから来る、必然の流れなのです。普段通っているスーパーで、何かが不便で仕方がなくて、こうだったらいいのに、ということがありませんか？　あなたがこれからやることは、それを客観的に検証することです。漠然と不便だなーと感じているだけの人間かどうかの分かれ目はそこにあるということです。あなたのふと感じることが、もしかしたら周りの皆も同じように感じていて、とてもニーズがあることかもしれないのです。

たとえばエステってどう思いますか？　値段を考えるとやはり高い。では激安エステってないのかなとか考えます。でもほとんどの人はすぐにできないと思って考えることをやめてしまうのですが、ここでさらに何か方法を考えていけば、ビジネスに発展していくのかもしれません。最初に漠然と、こういうものがないかな、と考えたら、次の段階に持っていきましょう。

たとえば一〇〇〇円エステがあればいいのに、と考えたとします。ゴージャスではないシンプルな設備でいいのか？　時間をたったの一〇分にしたらどうか？　従来のクオリティーを保ちながらやるにはどうしたらいいのか？　化粧品を三〇〇〇円以上購入したらエステの料金は

一〇〇〇円にするとか。どの方法だったら実現できて、みんな行きたいと思うのか？　などなど、いろいろ考えることによってパズルが組み合わさって、ピタッといい絵が見えたりすることがあります。時代の流れと、ニーズの流れと、今あるボリュームゾーンの問題点を変えていくということによって、新しい何かが絶対にあるのです。考えればキリがないくらい発想できると思います。

私がこの連想ゲームの中で強く気持ちにひっかかったのは、労働人口です。少子高齢化によって労働する人口が減るということは、税金を納める人が減っていくということです。すると次は、女の人に対しての期待値というのが社会においてうんと高くなるのではないかなと思ったのです。女性に対する期待というのは、納税の期待だけではなく、子どものこともあります。これからの女性には大いに仕事をやってもらい、しかも子どもも持って、両立させていってくれないか、という期待です。これはきっと今よりも格段に大きくなるでしょう。

日本の労働人口の半分は女性です。けれど、出産したら七割か八割がみんな辞めてしまいます。どうしてでしょうか。やはりまだまだ環境が整っていないのです。今、労働する人が少ないから移民を、などの論議がいろいろとなされていますが、私としては、まず女性の労働環境を一から見直すことのほうが先決だと考えます。**子育てしながらも働けるための環境づくりに**

は、今後もっと本格的な整備が必要になります。つまりここに大きなビジネスチャンスがあるのです。なので、女性起業塾では先述のように女性管理職の斡旋事業を始めたのです。

このように、社会現象を見ながら先読みをして、次々と連想ゲームをしてください。風が吹けばおけ屋がもうかる、というくらいの突飛な連想でもいいのです。要はどんどん発想していくことです。

差別化は主観、客観両面から

商品やサービスの差別化が重要ということは、言うまでもありませんが、ここで原点に立ち戻って、差別化について考えてみましょう。

差別化の考え方について、あなたは一方的、主観的ではなかったでしょうか？ 差別化は、主観と客観の両側から考えるべきなのです。あなたの商品、あなたの会社のイメージは、自分の目とお客様の目の二つの角度から見られています。自分の基準だけをあてはめていませんか？ 自分が差別化したいと思って差別化しているものなのか、それともお客様が差を感じて買ってくださっているのか、意識したことはありますか？ 差別化を正しくやっていくならば、

このギャップをきちんと埋めなくてはいけないのです。

ブランド力があるということは、つまりブランディングがなされているということです。自分がつくるのはブランドの〝コンセプト〟ですよね。私の会社でいうなら、トレンダーズというのはこういう会社でありたいと。私がそれを決めてやってきました。でもそれでは一方通行かもしれません。ブランド力があるとかないとかというのは、それをみんながちゃんと認識しているかどうかという双方向からのかけ合わせなのです。だから本当はお客様が結果として差別化を感じているのか、ということが一番大事で、経営者の自分が差別化だと思うことがどこまできちんと伝わっているのかをいつも見ていなければなりません。

差別化はもちろん人にもあてはめて考えられます。よく女性は、「自分にしかできない仕事をしたい」と言います。それはつまり、差別化された自分でありたいということなんですけれど、どちらかというと、そういうふうに見られたいだけで、自分が差別化された状態を自らがつくっているかどうかというと、そこがすごく難しい。見落としがちなポイントではないでしょうか。商材がオンリーワンの商品とかサービスだったら、それ自体でもう差別化されているものです。あなた自身、オンリーワンの存在であるなら、もう十分差別化されているということになります。あなたはどうですか？　主観と客観の両面から、考えてみましょう。

差別化された事業コンセプトを推し進めながら、さらに差別化の工夫をしていった結果、別の差別化のポイントができた、ということもあります。最初から差別化を狙うだけでなく、お客様とのやり取りの中で形成されていったものも、結果として新たな差別化になっていきます。目の前にある課題を解決する、というのも一つの差別化です。ただ、これらを徹底的に追求していった結果、お客様から、「とても差別化されているね」という信認をいただかないと、何かおごっているというか、独善的な企業になってしまうかもしれません。だから、差別化というのは自己満足にならないようにくれぐれも気をつけないとダメだと思います。

最後に差別化ということの大前提についてお話ししておきましょう。差別化は、別に奇をてらうことや、特殊な存在になることではありません。そのイメージが優先されてしまったら困るのです。事業はきちんとした硬い地盤の上に築いていくものです。その地盤は絶対レベルが一定でなければいけないんです。差別化は、加点法というか、そこにプラス・アルファがつくものであって、まず会社としての基本的な要件をちゃんと満たしているかが必要です。人間で言うと道徳観みたいなものですが、そういう最低限の水準があって、さらにその上で、より喜ばれる何かを工夫していく。これが差別化なのです。

第五章 社長の仕事って何でしょう？

起業はぜひしてみたい。自分の会社を持って、好きな仕事を創っていくリーダーになりたい。そういう意欲に燃えている人たちはまた、一歩踏み出すときに不安をかかえているものです。自分は本当に経営者なんてできるのか？　第一、社長の業務も日常も知らない。朝から何をするんだろう？　秘書がいて電話をとってくれる、みんながぺこぺこ頭を下げる……でもそういう社長になりたいわけではない。まったくイメージがわきませんね。

私たちが目標とする、年商一億円、社員三〜四人規模の会社では、社長はお飾りではいられません。会社の最高責任者であり意思決定者、そして会社のＰＲ担当であり世話焼きお母さん。

それがあなたが将来なるであろう社長の姿です。さあ、知られざる社長ワールドへようこそ。

社長の資質

社長の資質とは**あえて言うなら、結局あきらめないかどうか、石にかじりついてでもやっていく人間かどうか、ということではないでしょうか**。ただ執念深くあきらめないのではなくて、自分が立てた目標に対してそれをしっかりやり遂げるということです。**経営者は目標達成者です**。結果を伴わなくてもここまでやったからもういいやと自分で自分にオーケーを出してしまう人が多いのですが、社長というのはあらゆる部分での責任者ですから、自分が満足したかしないか、ではなくて、結果を出すためにあらゆる手段を講じて徹底的にやる。こういった習慣や考え方さえ身につければ大丈夫です。それは歯を磨くのと同じでだんだん習慣になります。きちんとやっていないと気持ち悪いというような感覚になると思います。

さらに、これがダメだったらこれ、これがダメだったらこれと、**何パターンも次々と代替案を考えられるように、タフに頭を駆使できるように訓練していくことも必要だと思います**。何か物事を判断するときは、自分に蓄積された知識とか経験をもとにした考えが自分の中からパ

ッと出てくるような感じですから、直感で決めたとしても、はずれていることは少ないと思います。ですからその判断でやると決めたら、執念を持って最後までやるということです。**私にとってリーダーシップを発揮するということは、自分の態度を見せてみんなが信じてついてくることだと言い換えられます。**「この社長なら絶対、最後まできちんとやる」とスタッフに信じさせることです。それについてこられない人はやめるし、ついていける人はがんばる、ということだと思います。

最終的には誰が一番正しいということって世の中にないと思うのですが、誰が責任をとるのか、という話になったときには、私が責任をとります。空中ブランコの下のネットは私が支えているから飛びなさい！　という姿勢を明らかにしておけば、スタッフも怖くないのです。

人の役に立ちたい、周りを喜ばせたい

女性起業塾ではいつも、「周りをいかに喜ばせるか、というところから入ってください」と言っているんです。だからみんな塾の修了の頃には、ずいぶんやわらかい感じになっていく。これは事実です。起業をしたいという女性って、みんな最初はどこか周囲を警戒したり、硬い

雰囲気を見せて入ってくるんです。

女性経営者は、男性と同じになることはないのです。女性は本質的に、人のために何かをすることに喜びを見出すものです。サービス精神旺盛な女性がもっといっぱい出てくるといいのにと思います。**成功するのは、やはり人に何かをしてあげるのが好きな人です。**たいていの女性は、小さい頃からエンターテインメントされる側で生きてきたと思います。でも、**社長という生き物はエンターテインメントする側に回らなくてはいけません。**サービスを提供するということは人を喜ばせることですから。

年商一億円で、社員三〜四人の会社の社長の仕事

社長の一番大事な仕事は、継続的に売り上げを上げ続ける仕組みを作ることです。だから、全体の流れのクオリティーを整えるのが仕事になります。常にお客様が途絶えない仕組みになっているか、常にリピートしてくださる仕組みになっているか、スタッフはクオリティーの高い仕事ができる仕組みになっているのか。一つ一つの動きが全体で調和してクオリティーを維持しているかどうかを確認し、おかしなところがあれば調整する仕事です。また、時代が変わ

っても会社が存続するように、時代、ニーズに合わせて小さな変更を加えていく、そういうことをいつも考えるのが社長の仕事です。

最初はだいたい一人でスタートすることになるでしょう。当然、何から何までやることになります。ある程度売り上げが維持できるようになったら、アルバイトの雇用、その次は本格的に社員の雇用という順番を踏むと思います。

このあたりから、**あなたの分身の育成を意識してください**。あなたがやってきたように、自分で考えて動いてくれる人を育てるのです。自分の分身が増えていくと、少しずつあなたの仕事が変わっていきます。マネジメントだけが仕事になっていきますから、スタッフから寄せられる悩み、トラブル、進捗状況などの解決にあたれるようになります。採用と人材育成、財務がふだんの仕事になります。

ここまで来たら社長であるあなたはずっと業務に張り付いている必要がなくなります。女性にとって時間に縛られたりずっと会社にいなくてもいいのはとても助かります。社長が少しくらい不在でも、マネジメントはできます。

ただしスタッフの管理は思ったほど簡単ではないので、目標をすり合わせて、何かあったと

きに連絡が来るという状態にしておきましょう。自分の意思や方向性が組織にきちんと伝わって、一致団結して成し遂げるのは結構難しいんです。**人にやってもらうのは、自分でやるより遅い、と知っておいたほうがいいでしょう**。もちろんスピードを上げたければ一緒になってやればいいんですが、ただそれはスタッフにとっては良くないことなんです。責任意識が低くなったり、常に監視されているような気分になったり。社長として経営者としては、ある程度実務の流れができたら、自分は加わらずに見るようにするのが大事です。スタッフによっては手取り足取りでないと動けないタイプか、三〜四人の社員の中で、自分で判断できる人が何人いるか、ということにもよってきます。つまり人材次第で社長に直接多くの負荷がかかってくるわけですから、人材育成に手を抜いてはいけないということが、この時点で身にしみてわかるようになるのです。

スタッフには思いつきで指示しないで、ちゃんと段取りを考えてから頼まないと、言ったとおりになかなか物事が進まないのです。何に関しても、スタッフと頭の中のイメージが同じになるまで、準備段階で話し合っていかなくてはいけません。現場監督的に、漏れがないように、進む方向性を決めていく。会社の業務全体の設計とマネジメントが社長の仕事ですから、そのイメージを明確に持てないまま指示をしても、伝わらないのです。

社長はお世話係です

結局、社長って実は社員のお世話係。もしかしたら、社員の奴隷みたいなものだと思っていてもそれほど間違っていないのかもしれません。やはり気持ちよく働いてもらうことを常に追求しないといけないわけです。たとえば社員にがんばってもらおうと思ったら、まず自分が社員をもり立てる。たとえば、あなたが営業だとしたら、何かお客様に商品を買ってもらおうと思ったら、まず自分が相手にとって有益な人であることを、何らかの方法で認めてもらわなければいけないのと同じですよね。

社長って、結局何事に関しても順番が回ってくるのは一番最後なんです。成果物を得るタイムラグが会社の中で一番長いということです。皆が喜ぶ仕掛けをつくる。そして、その仕掛けが動き出す。周囲の人が喜ぶのを見てやっと自分が心から喜べる。そういうのが基本的なサイクルです。しっかり自分の思う方向性を啓蒙していく、その流れを作る役割を受け持っていると思います。

これまで日本社会の中で、女性が出世して人の上に立つということは、ほめられることは少なかったかもしれません。女らしくないとか、男勝りだとか。そう言われるのを嫌って、トップを目指さなかった女性もいたと思います。今までの社長というもののイメージが、旗を持って「行くぞ！」という勇ましいものだけだったからでしょう。そういうリーダーシップも社長にはもちろん必要です。でもそういう局面はほんのわずかで、普段社長としての仕事はほとんど、今お話ししたような地味なマネジメントです。

だから、私は社長タイプではない、と自分で決めつけないでください。家庭を考えてみてください。家の中で女性は環境づくりが得意ですよね。お母さんとして、家族のみんなを元気づけるとか、やる気にさせる、楽しませる。これができるなら、社長としての資質はあるでしょう。要は社員のやる気、モチベーションの火つけ役だと思います。

優秀な経営者たちは、周りに良い影響を与える人間でありたいと心がけているものです。利益をたっぷり出して、それを独占する人ではありません。利益は自分ができる限りの貢献をした後に得るものだと信じて、周りの人にプラスになるようなことをより多く実行する。その結果、多くのリターンが来るという真理を理解している人なのです。

社長になれても経営者にはなれない

経営者に必要な能力は、マネジメント能力、物事を遂行する能力です。常に全体を見渡しながら、立てた目標を達成し続けるという人です。人、時間、お金などの資源を使って結果を生み出す人であって、何から何までやることはありません。自分のやることはマネジメントだけというのが基本なんです。

社長の仕事は、商品が継続的に売り上げを上げ続けられるような仕組みをつくることです。商品のクオリティーを保つにはどうする、売り上げの数を常に維持するにはどうする、ということだけを考えるのが仕事です。

ひとたびそういう思考回路になれば、状況はすべて自分次第で変えられることがわかるはずです。経営は根性論では語れません。がむしゃらにやれば何とかなるとか、やみくもに真っすぐ行けばいい、というのは誤解です。

本来、社長が常にやらなければいけないのは、〝次を考えること〟なんです。社員というのは、〝現在〟を見ています。今月どうやって売り上げを上げるのか、今、目の前にいるお客様

をどうやって満足させることができるのかに集中しています。しかし社長というのはその先を見るのです、常に半年先の自分の会社を想像し、流れを読み、次はこの手を打とうと考えるのが仕事です。たとえば、女性起業塾なら、運営ノウハウがたまってくる頃には、競合会社も増えていき、同時に卒業生の数も増えてくる。次のステージではサービスの向上の流れと同時に、他の会社との差別化も必要になってきます。そういったことを予測し、あらかじめ準備しておいて、しかるべきタイミングで最も有効な手を打つということです。

社長の自分は損するくらいでいいバランス

女の社長さんって一匹狼になりやすいところがある気がします。それはもしかしたら自分が中心、自分が主役が好きなせいかもしれないのですが、とにかく経営者になって成功したいし、自分の人生も全部バランスをとりたいなと思ったら、裏方や周りでいろいろ手伝ってくれる人などを、主役にさせるように考えるほうがいいと思います。だから、**スタッフには何しろ、「私たちが主役よ」という気持ちを持ってもらいたいのです。社長は、ちょっと自分が損したかな、くらいの状態が一番バランスがとれると思います。**たとえばスタッフのお誕生日は忘れ

ずにちょっと豪華なプレゼントをあげる。ちょっと得な気分になってもらう。そのちょっとの違いで、すごい効果が表れます。人をやる気にさせることが上手だと、業績が何倍にも上がります。お給料はそんなに変わらないのにスタッフは俄然やる気になってくれる。**報酬というのはお金だけではなくて、経営者が言葉と態度でできることってたくさんあります。**

今の中国人はお金で動くと言われますが、それはきっと経済成長真っ只中だからだと思います。でも、現在の日本は、お金だけではないと思います。日本人の多くはお金よりも、自分が自分らしく働けるかとか、その環境で自分が成長できるかとか、自分の夢が実現できるかとか、そういうことに結びつくかどうかが大事なんです。だから、みんなが会社に求めているのはお給料だけではないんです。経営者になって、そういうことを学びました。会社に求めるものは給料だけではないというのは、自分が会社員だった頃は、当然のこととしてわきまえていた感覚なんですけれども、社長になった瞬間に、逆に社長になってしまうと、みんな、とにかくお金でしかつながってないような気分になってしまうんです。

スタッフが徹夜してもがんばろうというのは、会社のことが好きだとか、お客様に喜ばれたいとか、そういう純粋なものが人を一番動かしているのだと思います。たまたま結果はお金だと思うんですけど、直接のモチベーションとしては効かない。たとえば一万円のインセンティブが三万円になったら三倍やる気が変わるかというと変わらない。それよりもお客様に本当に

喜ばれることのほうが何倍も人をやる気にさせるんですね。だから、経営者にはサービス力が大事なんです。

経営者になって知った立場の差

会社員だった頃はそれなりに積極的に向こう見ずにも動けました。でも、経営者になったとき、会社員のときの働き方とはやはり全然違うなと思ったんです。

女性の場合、概して自分を一番大切にされないと納得できない人が多かったり、周囲と対等ではないと必要以上に不安に感じたり、十分に光が当たらないと元気がなくなってしまう人が多いのですが、そのスタンスのまま社長になるのは難しいと思います。むしろ自分はどうでもいいから、社会と会社の関係をうまく構築できれば、スタッフがうまく輝ければそれでいいと思う。全体としてうまくいくことに心底喜びを感じることができればそれでいいんです。

会社は学びの場である

学生時代には、本当の意味で自分の頭を使うことは少なかったように思います。小、中、高、大と決められたカリキュラムをこなすだけでしたが、ビジネスの世界に生きて、初めて学ぶということがどういうことかわかった気がします。ビジネスの世界では学年など関係ありません。それこそ自社のサービスが選ばれるかどうかの真剣勝負です。だから会社こそ学校、学びの場所であり修業の場所。最近、本当に痛切に思っています。

トレンダーズを学校だと思って来られるのはもちろん困るんですが、**学校と同じように、皆が成長していくということを応援するような場でなくてはいけないとは思っています。**スタッフの能力をもっともっと引き出すことは、お互いの満足度を上げるためにも、お客様のためにも必要です。経営者それぞれにはそういう役割も持たされているということを、最近はすごく考えます。女性はずっと守られてきたこともあり、「今まで、そんなに必死で頭を使ったことはなかった」というスタッフもいます。ビジネスは真剣勝負の世界ですから、性別に関係なく自分を磨くことができます。経営者はその真剣勝負の舞台を提供する人間でもあるのです。

第六章 売る人はあなたです

会社を始めたらすぐ人を雇って、売るのは誰かにお任せ。ホームページを開設すれば、自動的に売り上げが上がって、会社も自動化。そんな風潮が最近の流れにあるようですが、私は違うと思います。**まず社長であるあなたはその会社で一番の数字を出せる営業マンでなければならないのです。少なくとも最初の一年は、あなたの営業の数字がすべてだと考えてください。**

会社の存続に必要な売り上げの一〇〇％を自分の力で達成するという営業力が必要です。できる社長さんというのは、みんなすごい営業マンなのではないかなと思います。経営者になりたい人で、営業力に関して不安要素がある人は、それを解決してから始めるほうがいいと思いま

す。

社長がトップ営業マン

営業ってもちろん物を売るということなのですが、人が人に対して物を売るからには、やはり人間関係の基本的なこと、つまり心理学的なこととか、タイミングのことなどが、総合的にわかっている人がいいのです。それが営業のできる人です。ビジネスに加えて人間と人間の機微みたいなものも理解して動いている人は少数かもしれませんが、あなたが社長ならできるでしょう。自分の会社なのだから一生懸命やれるはずです。社長自身が優れた営業マンであることは会社にとって本当に強いんです。数字を達成するビジネスマンとして一番大事なことをちゃんと知っているわけですから。

理想の会社のサイズとして、年商一億円、社員が三～四人と言いましたが、この規模の会社だと自分が社員に対して直接教育することになります。いろいろなお客様に対して、どうやってたくさん売っていくのか、喜んで買っていただくのか、というシーンの説明をじっくり教えていくしかありません。**だから最初は逆に自分がたくさん売って見せていったほうが、売り方**

の生きたマニュアルができるでしょう。現場でいろいろなお客様と接することによって、どうしたらこの商品が売れるのかというのが体験でわかっていく。そこに続いていく社員が何人かいれば、その人たちにだんだん任せられるようになるのです。そして、商品をたくさん売ってきた現場の経験をそのままホームページの商品説明にすることで、インターネット上でも説得力が増すのです。すべてが社長の営業行動の映し鏡なんです。

社長は、目標の数字をちゃんと明確にしておいたほうがいいのです。そして、数字をもとに決断していくのが一番シンプルだと思います。私の会社の場合は、たとえば売り上げを五億円上げたいとしたら、それを一二で割ると、だいたい月四〇〇〇万円です。月四〇〇〇万円で、私が二〇日働いたとしたら、一日二〇〇万円という数字を出していかなければいけない。時給で考えると、八時間働くとして、時給二五万円。だから、たとえば企業からコンサルティングを依頼されたとしても、幾ら以上だったら行くけど幾ら以下だったら行かないとか、幾ら以上もらえても、往復の移動に五時間かかるのならそれは断るとか、そういう自分の中での判断基準は、やはり数字に基づいているものだと思います。

「何を」「どうやって」「誰に」売るか

シンプルに考えましょう。大きく分ければ、売るものと売る方法は、二種類ずつしかないんです。売るものは、〝モノ〟と〝サービス〟の二種類です。モノは実質の形があるもので、サービスは労働を提供したり、何かを代行したりするものですね。**売る方法は、直接販売と代理販売です。**自分の商品を自分で売るか、誰かに売ってもらうかです。

スタート時点で何を売るか、どう売るかを選ぶことによって、成功と失敗の分かれ道になります。ここは慎重に考えるべきでしょう。

何を売るかを考えたとき、原価が安ければ安いほどいい。これが原則です。そうなると、売るものは〝サービス〟のほうが、原価がかからない（自分の労働のみ）という点で、選びやすいでしょう。もし自分で商品を作った場合、原価はできれば三割以下にしてください。それくらいが安全です。一方、誰かの作ったモノを代理で売る場合は、原価はありませんから、気にしなくていいでしょう（代理店契約料や最低仕入れ単位やノルマが発生することもあります）。

成功しやすい商品

商材選定の基準は以下の四つです。

1．売りやすい……自分が扱いやすいものを選ぶ
2．原価ができるだけ安い……最初は利幅が大きいほどいい
3．時流に乗っている……時代の半歩先くらい
4．差別化されている……オンリーワンほど強みとなります

売り方はシンプルに考えると二種類に分けられます。まずは自分の商品を自社が直接売る、直接販売です。もうひとつは、誰かに売ってもらうという方法です。自分が直接売るというのであれば、手売りか、インターネットか、営業でアピールをして売るということになりますが、自分ではない誰かに売ってもらうんだったら、どこかの代理店に卸すという形になってきます。

最初はやはり直販、つまり本人が作った物を本人が売る形になるでしょう。直販のほうが利

益率が高いのは当然です。どうやって売っていけばいいのか、直販すれば最短でノウハウが蓄積されるということもあります。拡販という面では代理店のほうがスピードは速いと思います。どうするかの基準はタイミングと、売りたいものの性質や種類でどちらかを選べばいいことです。

まず隣の人に売れるか試してみましょう。女の人は売るという行為に精神的な抵抗が強い面があります。でもそこは乗り越えていかなければなりません。あなたがまず先頭に立って、これからずっと売り続けていかなければならないのです。信頼関係のない人たちに物を買ってもらうのは非常に難しいことです。日頃からおつき合いがあり、信頼を得ている人に買ってもらうことから始めてください。一人の人間には二〇〇人のコネクションがあるといいます。あなたのことを知っている人だけでも、かなり大勢いることを思い出してください。まず周りの人に使ってもらって感想を聞くなどの調査をします。とりあえず実績をつくるのです。さらに拡販する方法として、インターネットという方法になります。ホームページ上で自分でつくった実績を見せていけばいいわけです。その間にも、潜在顧客層と、信頼関係のない層に対しては信頼関係をつくれるように常に情報を発信して、注意を喚起しておくことです。

経営者たるもの、ひとつのことだけにいつまでもかまけていてはいけません。**目の前のこと**

をやりながら、次の段階に向けて〝仕込み〟をしておくのです。一番難しいのは、自分が開発したばかりの商品を、代理店の人に売ってほしいという場合です。そういうときにはやはり**まずは自分でたくさん売れるんだ、お客様のニーズが高いんだという実績をつくるといいと思います。**自分で市場を掘り起こして、市場の反応も見て、ある程度売れる実績をつくってからだと、逆にみんなが売りたくなるのです。

顧客開拓のピラミッド

会社の安定は、結局売り上げが安定的にあり、それが伸びるかどうかにかかっています。そのためにはお客様が常にたくさん来てくださって、その方々がリピートしていくという流れを作り続けることです。それでは、お客様があなたの会社の支援者となる段階をピラミッドの階層として説明していきましょう。

ピラミッドの底部は、顧客の創造です。まず、トレンダーズのことを知っているだけという人たちのグループがこのピラミッドの一番底部だとします。この数はもちろん多ければ多いほ

どいいんですが、起業スタート時にはまず五〇〇〇人くらいを目指すと最低合格ラインに乗るかもしれません。この数が会社の認知度であり、潜在顧客として、将来のお客様になってくださる可能性を持った人たちです。**あなたの会社の認知度を少しでも上げて、〝その社名を知っている、何をしているか聞いたことがある〟という人の数を増やすのが第一段階です。**たった数人では話になりません。人数が増えれば増えるほど、この三角形の底辺の長さが伸びて、巨大な三角形になります。すべての土台となるこの部分を、できる限りの努力で増やします。

トレンダーズの場合、ここを増やすために**現在は、人の紹介、インターネット、マスコミ戦略の三点でやっています。**ほかに電波媒体や印刷媒体の広告や、代理店の利用などいろいろな方法があるでしょう。ちなみに**インターネットを使った認知というのは、案外時間がかかります。**何しろインターネットを見ているだけの人とは何の信頼関係もありません。よくわからない人間がやっているということ自体、それ以上の段階に進む気にならなかったり、購買行動へ二の足を踏ませるのです。**その点マスコミ戦略のほうが、信頼度を上げるためにはだいぶ有利です。**たとえば全国紙などの新聞であれば、そこに載った人にも箔が付く効果があります。それまで社名だけを何となく知っていただけの人でも、新聞に載ったら急に見る目が変わってくるということが起こります。このマスコミ戦略についての詳しい話は、第八章の「あなたの会社を知ってもらいましょう」をお読みください。

顧客ピラミッドの二段目は、すでに会社名が頭に入っていて、会社の内容もある程度知っている人たちです。多くのお客様に自社を知っていただくことが第一の基本的な事業のポイントですが、それで終わってはいけません。お客様にもっとよく知っていただくには、もっと喜んでもらうにはどうすればいいか、それを考えながらやっていきます。それがうまく機能し始めると、だんだんそれが深みを形成し、お客様がだんだん上のほうに上がっていく流れができていきます。

トレンダーズの場合、二段目は、メールマガジンに登録したり、定期的にうちのサイトを見に来てくれている人たちです。つまりもうトレンダーズという存在をある程度、認知していただいている状態です。

人間は何回か同じ人に会ううちに信用するようになるそうです。トレンダーズも、スタッフがインターネットで日記を書いていますが、それを何カ月か読んでくれた方たちは、スタッフとトレンダーズに信頼を寄せるようになるのです。インターネットというデジタルのメディアでも、アナログ的な効果が出せます。会ったことのある人は、会ったことのない人より信用される。会ったことがなくても何度も目にしたことがある人とは信頼関係を構築しやすい。この人間の心理を忘れないようにすれば、自分がどうしていくべきか、答えが見えてくると思いま

す。

三段目。一回でも商品サービスを購入してくださったお客様はここに入ります。実はここに上げることが非常に重要なのです。なぜなら、一度でも買ってくれたお客様は、その次の購買、つまりリピートへの敷居がうんと低くなるからです。つい同じお店で、同じ物を買ったり同じサービスを注文したという経験はありませんか。お客様というのは、一度買って安心することによって、また次にお金を払いやすくなる、リピートしやすくなるのです。だからとにかく一回買っていただく。それを目標にしてください。まずは、手を出しやすい値段の、気軽に買いやすい物を用意しておいて、そこを手始めにお客様との関係を始めるというのが非常にやりやすい方法です。たとえば、バッグの有名ブランドが買いやすいキーホルダーなどの小物を出しているのもその意味があると思います。初めの一歩やきっかけを作ることが大事です。そうやって長いおつき合いができるよう、関連商品の紹介などを始めていけばいいのです。

四段目は、リピートしてくださるお客様です。すでに一回買ったことのあるお客様は、心理的に最初の垣根がはずされていますから、初回の商品で十分満足していただいたら、次からはもう少し高額の商品を買ってくださる可能性が高いのです。エルメスのスカーフを最初に買っ

た人が、今度はぜひバッグを買いたいと考える、その心理です。

さて、商品を気に入って、何回かリピートしていただけたお客様は、すでにあなたの会社のファンになっている可能性があります。自分の購買だけでなく、率先してあなたの商品を他のお客様に紹介してくれたりします。それは、ただのお客様を超えて、信者となった人です。つまりお客様があなたの代わりに口コミ営業をしてくれるようになるのです。

お客様は払ったお金の金額よりも自分が思っている以上の効果ならば、絶対にリピートします。たとえば一〇〇万円払って、一〇五万円分返ってくるんだったら、人は絶対一〇〇万円を払い続けますよね。**価格と結果のバランスがいつも結果のほうに優勢になっていたら、必ずリピートする、それがリピートの方程式だと思います**。

だから、代金を気持ちよく払ってもらうためにも、お客様に満足してもらえるような結果を出さなければなりません。プラスアルファの価値をつけていくことによって、リピートは起こります。人は得をしたことをついついしゃべりたくなりますから、お客様が他の誰かに話してくれる。これが口コミです。これは相手の信頼ベースに乗っかった伝達手段なので、広告を疑う傾向にある現代人には、とても有効な宣伝になります。営業マンがいなくても、口コミが営業マンとして一人で歩いてくれるのですから。このサイクルができれば、ずっと売れ続けてい

く形になるんです。

営業には、この段階分けというのが常にあって、どういうふうにしたらお客様が上の段にステップアップするのか、ということを考えます。いわば顧客の育成ということで、会社として常に考えていることです。会社を設立して五年もたてば底辺はもちろん広がっていきますが、ただ気を抜くと、三角形の底辺の角度が変わってしまう。角度が小さくなってしまうんです。この図は三角形ですが、認知のお客様の数がそのまま最上部まで持ち上がっていくのが理想という意味では、三角形ではなくて長方形が本来一番いい形なのです。

潜在顧客との距離を縮める工夫

会社にブランド力があるということは、お客様が選択肢としてあなたの会社の名前をパッと思いつくことです。たとえばF１層のマーケティングだったらトレンダーズに聞いてみよう、と考えてもらえるかどうかです。それと同時に、ずっとあなたの会社のことを、〝いつも心にあって気になる〟という状態が根底にあるということです。お客様は、あなたの会社のことが

知らず知らずのうちに頭にあって、気になってしょうがない。何かあったら必ずあなたの会社にコンタクトをとりたいと思っている……、この状態が一番いいんです。その気になっている人が今、世の中にどれぐらいいるかということが、その会社の潜在的な力でもあるわけです。

そういう状態を常につくりながらも、それぞれのステップは休んではいけません。お客様が今たくさんいるからといって、あなたの会社を気になる人たちを増やすステップをおろそかにしてはいけないし、それぞれの業務をうまくやっていかなければいけないのです。

トレンダーズは、気になってくださる人をつくるためにホームページを毎日更新したり、マスコミへの定期的な露出などを通じて、情報を発信しています。

たとえば、私がテレビに出ると、Ｗｅｂサイトを見にいらっしゃる人がたくさん増えます。そのタイミングで、興味を持っていただけそうな情報を提供する。たとえば小冊子を無料であげますとか、メールマガジンに登録すると今ならこんなものが付いていると、お得な感じを出して、なるべくその人たちの心をグッとつかむのです。そうして、顧客創造のピラミッドの上に上っていくように誘導するというやり方をしています。たまにはアナログ的に接触するために何か、たとえばセミナーでも何でもいいんですけど、説明会のようなものをやることによって、距離を少しずつ縮めていくという方法もあります。

営業は辛い？

私はリクルートに新卒で入って、すぐ営業をやりました。でも、女性はだいたい営業を嫌います。それでは何をやりたがるのかというと、みんな企画をやりたがるんです。でも私は、営業って企画職だと思うんです。同時に、イベントプロデューサーでもあり、相手を喜ばせるエンターテイナーでもあり、結局相手を喜ばせることという本質があるんです。それこそが、営業なんです。**お客様の払ってくれるお金は、結局、感謝の量そのもの。ありがとうと言いたい気持ち、感謝したい量の分だけ、気持ちよく払っていただけるということなんです。**物を売るというよりも、まず相手の状況を改善する提案があって、そのツールとして商品とか、広告枠だったら広告を出稿していただくことによって、相手がそれ以上の価値が感じられればお金を払うし、感じなければ払わない。そういうシンプルなことです。払った以上のリターンがあれば、お客様は絶対感謝してくれます。すなわち営業は、価値を提供している仕事なのです。女性起業塾の費用一二万円も、「一二万円で人生変わるんだったら、ブランドのバッグよりいい」みたいに思ってくださる人が多いのです。

こういうお客様と自分の提供する商品とのいい流れを作るためには、やはり**自分の商品をほしがっている人を正しく見極める目が大事になります**。ほしがっていない人のところに行くから、嫌われて辛いんです。ほしがっている人を見極める目があれば、お互いにうれしいんです。

営業のイメージに先入観を持っている人がいたら、まずそれを取り払ってください。最初に、**あなたの商品をほしがっている人を真剣に探すということが大事なのです**。結局、相手の気分をよくするのが相手との関係の基本です。何をしたら喜んでいただけるか、という人間の心理がわかっていれば、うまくいくはずなんです。その訓練、つまり求められているところにそれを売る力がある人は、絶対に一生食いっぱぐれることはないし、本当に一生の財産ではないでしょうか。私自身、もし会社に万が一のことがあっても、営業で食べていける自信はあります。

営業力がすべてです

営業力って血液みたいなものです。会社をやっていくためには絶対必要なものです。それも**稼ぎ力とか売り上げを上げる力と、心理学みたいなものとを、全部含めて営業力と呼んでいいと思います**。直接物を売るということだけではなくて、インターネット上でどのように表現し

たらお客様がほしがるかが、ちゃんとわかっていることも営業力があるということです。

たとえば下世話な話ですけど、自分をきれいに見せて、それでちょっといい人に出会って、駆け引きをして、結婚まで持っていこうという一連の行為、というかプロジェクトですが、そういうことを女性なら考えたことがあるかもしれませんね。それだってやはり営業力です。

自分が売りたいものを、ぜひほしいと思っている相手を探して会う。そして相手も魅力的だと思ってくれれば購入してくれるという流れ。短く言えばそういうことです。起業するときに、営業の経験があったほうが絶対にいいんです。さらに言えば、人間としても絶対その経験が役に立ちます。

経営者にとっては、営業力があるというのは会社の底力になるということだけではなく、人間として魅力のあることです。だから、たとえば採用も営業の一部だと言えます。優秀な人を採るための営業。もちろん会社はお金を払うほうですが、応募者としては貴重な時間を会社に預けてくれるわけですから、できるだけ優秀な人を採るために正しく自社を説明したり、その人が入社した際の魅力を提案する。やはりすべて営業力だと思います。営業力を身につけるのは時間がかかると思われるかもしれませんが、私は本格的な営業をしたのはリクルート時代だけで、約一年ちょっとでした。それでも、「どうやったら売れるのか」を真剣に考え続けることによって、営業力を身につけることができました。**経験した時間の長さではなくて、一つ一**

つの経験の密度の濃さだと思います。

リクルートのトップ営業だった頃

リクルートでは新人は、自分のお客様を自分で見つけるというのが基本だったので、新規開拓の責任がありました。新規というのは、まったくリクルートとご縁がなかった会社から新たに発注を受けることです。一九九七年頃のリクルートは、メールも使わない、アナログ一色の時代でした。当時すごく嫌だったことが二つありました。一つは、営業の効率がすごく悪いこと。リクルートではアナログでお客様と接触する、つまり訪問が一番美しいと言われていたんです。しょっちゅう顔を見せに行く、つまり訪問をしろと言われていました。あともう一つは、手紙を書いたりとか、そういうことも含めて、フォローの方法も泥臭かったんです。新規は一〇〇件に一件ぐらいしか受注できないという統計があるから、五件受注したかったら五〇〇件飛び込めとか、そういうふうに言われるのです。たくさん接触しろと。人海戦術、ローラー作戦でつぶしていって、担当のテリトリーはほかの業者に取られないように見張ってろということです。私自身、起業してからも、危うく同じことをやりそうになっていました。

でもそんなことをやっていたら絶対無理だとすぐわかりましたし、私が起業した頃はすでにインターネットが盛んだったので、アナログ的にわざわざ行かなくても、それと同じぐらいの信頼を構築するためにはどうしたらいいか考え、実行できると思いました。

たとえば、新規で飛び込んだ会社に自分のことを常に思い出していただくために、会社を再度訪問しろと言われるのですが、なんとなくムダなような気がしていました。だからメールのない当時には、自分なりのニュースレターを書いて、一件一件ファクスを送ったりしていたんです。でも、そんなことをやっても、何百件もあってすごく大変だし、「あそこ送ったっけ？」となってしまうんです。でも、メールだったら送信ボタンを押せば全部に送られますし、返事まで来ますから、インターネットって本当にすごいなと思ったんです。

ある時、はっと思ったのが、リクルート時代、会社からは訪問することが美しいとずっと言われていたけど、訪問される側のノイズの話をされたことがあり、私たちが来ることがウザいんだというのを聞いて、すごくショックでした。女性だから、アポをとるとき、結構とれるんですよ。どんな会社かわからない人に電話してアポをとり、「いいですよ、どうぞ」と言われていくと、おじさんが一人で、暇だから茶飲み話につき合わされるとか、そんなのがよくあって、やはり効率なんて言葉と遠く離れた世界でした。新規開拓と飛び込み後のフォローがとにかくムダだと思って、それが商品の値段が高い理由なんだ、と思って本質的ではない気がして

いました。起業してからわかったのは、そういった人海戦術はすでに高収益を上げられるような仕組みのある大会社しかできないことで、小さい会社で同じことをやればすぐに赤字になるということです。だから、人が新規開拓しなくてもできる方法、つまりインターネットとかマスコミ戦略を駆使してやらなければならないと、痛切に感じたんです。

営業力なくしてアイディアもなし

アイディアはあるんだけど、売るという行為、つまり営業はどうしてもダメという人がいます。それがよくある思い違いなんです。**アイディアはいいけれども商品が売れない場合、それははっきり言って本当のいいアイディアではありません**。お金にならないアイディアなんですね。

本当にいいものは、商品に羽が生えたように売れていくでしょう。でも、最初の認知はゼロですよね。だからこそ、最初のブレークスルーのポイントにたどりつくまでの営業が必要なんです。商品の良さをどう人に伝えるかということが営業です。ある程度の人数の人にきちんと説明できるようになり、受け入れられ、インターネットでもちゃんとわかりやすく説明できる

ようになってようやく、自然に売れていく段階に入るのだと思います。

新規開拓営業は大企業のもの

とにかくみんなで新規開拓営業すれば何とかなる、という考えは変えてください。これからの時代、中小企業では人海営業はたぶん難しいと思います。それは人件費がかかりすぎるからです。また同時に、自社の商品を売り込みすぎると、お客様との関係で言うとお客様のほうが不自然に優位に立ってしまって、値引きの話ばかりされたり、キャンセルされたり、いい仕事ができなくなる可能性が高いからです。それよりも、もっと直接的に自社の商品をほしいと思ってくださる人にわかりやすく情報を発信していくことを心がけましょう。商品は、それがいらないという人に売ってもしようがないんです。バラの花が嫌いな人にいい花ですよと言ってバラを売ってもしようがないのと同じです。今、セールスとマーケティングは類義語みたいになってきています。「何を」「誰に」とまったく同じで、その商品がほしいと思うターゲットにちゃんと伝えるということが重要です。

消費者は、明らかに今ほしいと思っている顕在の層と、本当はほしいんだけど気づいていな

い潜在の層と二つありますから、それに応じて使い分けるのです。売るということよりも、商品の良さを話す。それは自分にとってではなくて、相手にとっての商品の必要性、魅力を伝えることです。

今の時代、開拓営業を心から望んでしたい人ってそんなにいません。優秀な女性社員を採用するためにも、**私はあえてそういう新規営業活動はせずに、いらっしゃったお客様を十分に満足させるようなクオリティーの高い仕事をしてもらうように話しています。**新規開拓ばっかりやっていますと言ったら、やはりみんな嫌だろうし、長く続かないのではないかなと思ったからです。人は誰でも役には立ちたいけど、こちらが頭を下げ続けることはあまり好きではないと思います。

つまり営業は、昔のリクルートのような方式だけではない、と言いたいのです。だから、営業に偏見を持っている人は、根本から営業の考え方を変えたほうがいいと思います。もちろん新規開拓も大事だけど、**新規が勝手に来るような仕組みをつくること、それが中小企業にとっての営業力なんです。そしてなによりも大事なのは、つき合ったお客様を死ぬほど大事にすることだと思います。**一度お客様になってくれた人は絶対離さないくらいに。新規でものすごく

力を入れても、お客様というのは平気で離れていってしまうものなんです。だったら、つき合ったお客様とずっと長く仕事ができるようなやり方を続けるほうが賢いんです。もちろん商品が長続きするものなら理想的です。たとえば、ダスキンは実際すごいですね。あのように顧客と継続的な関係をとっていくことが仕組みになっているのであれば、会社としても成長するし、口コミでも広まるし、そういう仕掛けをちゃんとつくっていったほうが絶対いいと思います。

でも、私がいたときのリクルートは、とにかく新規を何件とったんだって聞かれるばかりで、それが評価の中心であることが嫌でした。結局、売り上げるんだったらどっちでも一緒です。でも新規開拓に会社がこだわったのは、たぶん私が新人だったからだと思います。つまり、新人というのは開拓するのがミッションで、入社何年目かになったらそれを大事にするのがミッションという社内の常識があったんです。新人だから新規開拓という役割は、いま思えば私にとっては良かったことではありますが、それをそのまま自分の小さな会社に持ち込んではいけないと考えています。

営業力って、もちろん相手に合わせてその人がほしい商品情報を伝えることですが、結局、**本当に営業力がある人は顧客フォロー術がすぐれています**。その後の接触と関係の構築がとて

も上手なんです。本当にできる営業マンというのは、相手にとっても得な人です。それができないと、ただの押しつけになる。営業マンはいいと言ったけど、自分にとっては良くないと感じるのは、顧客満足度に差があるという意味です。相手のことを知って、自分の商品との相性が合うかを考えるべきで、とにかく誰にでも何でも、売ってしまえばいいというのはもちろん良くありません。

京都って面白いなと思うのは、「一見さんお断り」とよく言いますね。これ、何となくわかるんです。やはり新しい者同士が信頼し合うまでには時間とエネルギーがすごく必要で、あつれきもあったり、しんどいことです。でも、知り合った人たちが関係を深めていけば、同じエネルギーをもっと信頼関係の構築などすばらしいことに注ぐことができますよね、お互いの中に情報の蓄積があるから。だから、目の前にいる人を本当に大切にすべきだと思います。

たとえば、いただいた名刺をそのままにするのか、メールで御礼のご挨拶を一本して、血の通うものにしていくのかというのも、大きな違いがあると思います。名刺をたくさんもらって名刺ホルダーをいっぱいにするよりも、一〇枚の名刺でもすぐお礼メールを打ったほうがあったかい血のつながりがあると思います。**中小企業は、結局あったかいつながりで成り立っている部分が多いと思いますし、だから新規開拓を何年も何年もやり続けるというような考え方で**

は、組織として疲弊していくのではないかと思います。

第七章 経営のマインドが重要です

楽天の三木谷社長がテレビのインタビューで、「球団を成功させる自信はありますか」という質問に、「もちろん」と答えていました。おそらく社長は不安要素もすべてきちんとわかって分析しているはずなんだと思います。だけど、自信がないとはおっしゃらなかった。自信たっぷりの返事にレポーターは驚いた様子でしたが、社長はさらに追い討ちをかけて、「そんなの当たり前ですよ。絶対成功させるしか道はないんですから」とおっしゃっていました。これが経営者魂だなと思いました。

不安要素はあるけど、十分検討している。だから、不安要素を何が何でも一つ一つ乗り越え

て、成功させるしかない。私は、女性たちにもそう思ってほしいんです。たとえば、自分がやろうとしていることにちょっと自信がない。でも、社長が自信がないといったら、スタッフはもっと自信が持てないし、お客様は自信がない会社からは何も買わないですよね。もちろん新しいことをやるのに不確定要素があるのは仕方がないことです。でも、不確定要素があるから自信がないと言っていいということではなくて**「不確定要素を一つ一つ乗り越えていく」「何が何でも逃げずに最後までやるんだ」という自分に対しての信頼を持ってほしいと思います。**決意してほしいと思います。

経営者脳を持つということ

女性起業塾では受講を通じて「経営者脳」になるように訓練しています。経営者として判断、行動できる脳があれば、スムーズに進むからです。

その脳になるためにはポイントは二つあります。**まず一つはシンプルに考えることです。**

たとえば、起業したらすごいと思っている人が多いかもしれませんが、起業というのは、単に登記にすぎないから別に偉くないのです。行政書士の先生に頼めばすぐに起業できてしまう。

名刺一枚でも持てば社長です。つまり、誰にでもできるけれどもその後が大変なんです。常に利益を出し続けていかなくてはいけない。

女性起業塾という事業において一番大切なことは何ですか？　という話をスタッフとよくします。「たくさん受講生を集めること」「みなさんに喜んでもらうこと」。いろいろな回答が上がってきます。どれもあたっているのですが一番押さえなくてはいけないポイントとは少しずれているんです。**私たちが一番やらなくてはいけないことは「女性起業塾から成功した女性起業家を輩出すること」なんです。**そのために、いいカリキュラムをつくる、認知されるように活動する、すべて一番の目的に沿っていくために、やるべきことになるのです。

そういったシンプルで本質的な回答を経営者であれば、社員に対してきちんと与えられなければならないんです。大切そうな事柄がたくさんあって選びきれないということがよくあると思います。でも時間やお金や人員などの資源は限られています。絶対にやり遂げなくてはならない目標にみんなで集中しなくてはいけないから、**一番大切なものを押さえ、それを何度も何度も繰り返しいろいろな方法で伝えて、やり遂げていくことが必要なのです。**

見えているものの向こう側を読む

そして、**経営者脳になるためのもう一つ大事なことは、主客の逆転なんです。**私たちが普段生活していて見ているものは、見せられているものなんです。経営者であれば、見せられているもののもっと向こう側を見なくてはいけません。一歩踏み込むことです。たとえばお店に入ったら、サービスだけを見るのではなくて、サービスの向こうにある運営側の意図とか、経営者の心理を読み取れるようになることがまず大切です。だから一ユーザーとして、このレストランがおいしかったということではなくて、何でこんなふうにおいしくできるんだろうとか、仕入れに何か工夫があるのかとか、お客様が喜んでいるのであれば、喜んでいる一番のポイントは何なのだろうか、そういう視点が大事になります。一歩奥の向こう側の思考に常になれるかどうかというのがたぶん、経営者の脳みそにだんだん訓練して近づいていっているということなのです。今まではいい広告を見ると、刺激されて買う側だったけど、なぜ自分はほしくなってしまったのか考えてみるとか、つくった人の意図とか、その表面にある一つ裏のものをどう見るかということなんです。

それは今まで「私はこう思う」という主観で生きてきた側から、常に客観視できる側に回るということだと思います。

客観的に読み取る能力を備えることによって、なるほど、と思うことはいっぱい出てきます。興味、関心からさらに一歩進んで、なぜああなるのか、どうして人気があるのかと常に考える。たとえば「トレンダーズ」といったら、何で「トレンダーズ」という社名なんだろうとか。何でだろうと思うところに、いっぱいヒントってあります。何で会社なのに内装をこんな感じにしているんだろうとか、絶対それには意味があって、そういうのを常に考える習慣をつけるということが大事ではないでしょうか。大事なことは、右脳と左脳をどうバランスをとるか、ということです。何かを考えるときに、客観九割で主観一割ぐらいのバランスでいいと思っているんですが、単に直感でひらめくというだけではなくて、自分の経験とか持っている情報が蓄積されているからこそ、それらが組み合わさっていい考えが出てくるのだし、発想を根拠づけるわけです。自分の思いついたことに自信がない人は、やはり徹底的に検証してください。紙に書いたり図表にしたりするなどして、目に見える形できちんと検証すると、何となく考えているときとまったく違うものが見えてきます。

数値でコミュニケーションする習慣

経営者は、いろいろな表現能力が必要とされる、とお話ししてきましたが、その中でも客観を意識して生きていくのであれば、**数字による表現でコミュニケーションをとる方法を、ぜひ身につけていただきたいのです**。

女性は感覚でものを表現することが多いのですが、「感覚」は人によって微妙にニュアンスが違ってきてしまいます。たとえば、相手にものを伝えるときにも、「このぐらいの感じで」とか、「一生懸命やってね」では明確に伝わらないことが多いです。これくらい、ではなく、何ページから何ページまで全部、とか、二〇人の定員がいっぱいになるまでなど、いちいち数字にして言ったほうがいいんです。私にとってのこのぐらいと、相手にとってのこのぐらいが少し違ってくると、その少しの違いが大きな違いになってきて、全体にブレが生じてくるのです。経費は一割に抑えるとか、一二〇%の目標を達成するなど、ビジネスの場で共通な言語は、数字だと心得て、そういう表現を使うようにすればいいんです。つまらない誤解が防げるメリットもあります。ゼロと一と二と三とあったら、それを取り違える人っていませんよね。だけ

ど、何となくこれくらいまでなら大丈夫のような表現は、各自ニュアンスが違うから、どこからどこまでが大丈夫で、どこからがダメなのか、わからない。だから、数字にして考える習慣をつけてください。

私はこのことをリクルートでたたき込まれたんです。一〇〇人に一人が受注できるという統計データがある。自分は五件受注しなくてはいけないのだったら五〇〇人に会わなくてはいけなくて、それを一週間でやるんだったら、一日一〇〇人に会わなくてはいけないとか、本当に単純な計算ですが、同時に現実的な数字でもあります。現実は現実としてとらえていかなければならないんです。具体的に数字で把握して、細分化して、分配して、消化していくということなんだと思います。そうすれば、おのずと限界も見える。そしたらどこまで何をしなければいけないのか、限界を破るためには何の道具を使うのか、近道するのか、抜本的に何か方法を変えるのか、そういうことを考えないといけないことがわかるのです。

アップダウンを繰り返しながら

自分の中で発想、視点が経営者脳へと変わってきたら、あとは、もっともっと具体的な場面

を経験することによって成長していくのだと思います。最初はみんな、もっと自分は価値ある存在だ、私だって社長ができそうだと思って、やり始めます。すると、意外と簡単だなと思う部分と、意外と大変だという部分に出合います。

だから誰でも、すごく気持ちのアップダウンがあるんです。「私にもやれそう」という気持ちと、少し現実が見えて、大変かなと落ち込むときがある。でもその解決策が見えて、また盛り上がってという、そういうことを繰り返して、だんだん成長を遂げていくのです。

勝ちパターンを体にしみこませる

小さくてもちょっとずつでも、勝ち続けるということが大切です。いきなりホームランを打たなくても、まずは出塁するところから始めて、それを続けていくようにすればいいんです。お金に関しても同じです。いきなり一攫千金あてようと思う必要はなくて「減らない工夫」をすればいいんです。自慢ではありませんが、私は貯金（資産）が減ったことがないんです。多少の変動はあっても結局ちょっとずつプラスを積み重ねていくというのをやってきた結果そうなったということです。流れて入ってくる毎月のフローの中で生活すればすむんです。

たとえば、今は二〇万円しかお給料をもらえなくても、その二〇万円の中で少しでも貯金できる人は、お給料が一五万円になっても貯金できます。でも二〇万円で足りないと言っている人は、五〇万円でも足りるかどうかという確証はありません。だから**ほんの少しずつでいいんです。体が勝ちパターンを覚えるように動いてください**。

勝ちパターンを知っているか、というのとたまたま勝てた、では全然違うんです。自分が思った仮説どおりの結果を得るという勝ちパターンを、小さくてもいいから積み重ねていく。そういうことが、あとあと大きな力になっていくのです。少し振り返ったら、結構歩いてきたんだなとわかります。女性起業塾の生徒さんは日記（ブログ）を書くことが課題なんですが、毎日続けてくれた人というのは知らないうちに振り返ると、三〇〇件、四〇〇件の日記が実は蓄積されています。もしかしたらそれは出版できるぐらいの情報のレベルかもしれません。最初はそんなつもりで書いたわけでもないのですが、一歩ずつでいいから前進していくと、必ず何かが蓄積されて、目指している方向に正しく向かっていっている、その事実をかみしめることによって、少しずつ自信をつけることができるのです。

やはり**自信がないのには、自信がないだけの理由があるんです**。それは今まで思ったように成功したことがないとか、今まで思ったように結果を得たことがないという、**自力による成功体験のなさです**。他力の部分はしようがないから別にいいんです。宝くじに当たったことがな

くても、構いません。別に宝くじに対しての自信を持たなくてもいいけれど、自分ができる範囲で、たとえばダイエットに成功したことがあるとか、毎日本を必ず読む習慣を身につけたとか、何でもいいから思ったことを一つずつ、**小さなことからかなえていく癖をつければ、自分は必ず思った方向に進めるんだという自信が持てるようになると思います。**

第八章 あなたの会社を知ってもらいましょう

あなたが会社を設立したばかりの頃は、その名前を知っているのは家族くらいです。友達でもあまり覚えてくれません。自分だけがこの会社に熱心で、がんばろうとしているのに、他人はなんの興味もないんだなと、一抹の寂しさを感じる瞬間です。でも当然だから仕方がないのです。同時に、その状態を続けているわけにはいきません。あなたの会社はもっとたくさんの人に知ってもらわなければならないし、さらに信用を得なければ、お客様を獲得することができないし、成功なんてほど遠いのです。

しかし、社会的なバックグラウンドの乏しい若い女の人が会社を始めるときに、信用という

ものをつくり上げるのはすごく大変なことです。私は会社員であったリクルート時代でさえ、お客様には顔を忘れられないように何回も電話をしたり、訪問したりという努力を重ねてきました。今のようにメールが普通にある時代ではなかったから、営業回りがあたり前だったんです。

今でこそ私の会社ではメールやメールマガジンを出していますが、基本精神は変えず、あくまでも常にお客様に、情報を提供し、お客様には真っ先に得をしていただくという姿勢でやっています。起業すると、何はともあれ真っ先に、「売り上げを上げよう、買ってもらおう」という考えが頭に浮かんでしまうのでしょうが、もっとお客様が安心してくださるためにはどうしたらいいか、自分の会社の信頼度を上げるには、という全体的なことも考えていったほうがいいと思います。

大企業のやり方が通用しない

事業を始めるにあたって、お客様に会社の名前や商品のことが知られなければものが売れないということはわかっていました。そのための方法ならいろいろあるのだし、それをやろうと

思っていました。

たとえば、私がリクルートにいたときには、とにかく一件一件電話をしろとか、一件一件訪問しろとか、いわゆる泥臭い営業スタイルを教わっていたので、会社を立ち上げたときも同じようにやろうと思っていました。たとえば一〇〇人のうち一人が買ってくれる割合というのがわかれば、一〇〇人に電話をかけたり、一〇〇人に飛び込みをすれば、一人はお客様がつくことになります。そんなことをずっと考えながらリクルートのときは営業していたので、自分の会社を持ったときにも同じことをやる考えだったのです。

ところが、以前と同じことをやったのに、今回はまったく当てはまらなかったんです。具体的にどういうことかというと、たとえ一〇〇〇件飛び込んでもまったく興味を持ってもらえない。そもそもリクルートだから飛び込みをしても、「あ、リクルートさんね」と相手が自分の会社のことを知っているからなんとかコミュニケーションになるんです。でも、「トレンダーズ？　聞いたことないし、いらない」という感じでした。そこでやっと私は、小さい会社、無名の会社というのはいくら飛び込みをしても基本的に受注はできないということがよくわかったんです。お客様はお金を払うとき相手に信頼があるからお金を払う。それが現実でした。商品、サービスがいいから売れると思ったら間違いで、いい商品だと思う前にある程度会社を認知をしていないと、会ってもむげに断られてしまうのです。

そこで私はやり方を根本的に考え直してみました。たとえば恋愛でも、こっちが大好きと言ってアタックして落とすよりも、どちらかといえば、皆が「あの人素敵」と言っているとか、すでに人気があるとか、そういう土台があってから愛されるほうが結果として早いし、長続きするというふうに思いました。

知ってもらうための方法は、やはり広告だと考え、次に私は広告を打つことにしました。携帯電話広告を試してみたんです。携帯電話に何万通とか配信してもらう形の広告でした。でも、結局そのときも全然反応はありませんでした。がんばって何十万円もかけたけれど、ダメでした。どうやら判断が誤っていたようです。この失敗で、ひとつのことがわかりました。

人って、全然知らない聞いたこともない会社の広告があっても見向きもしないんです。たとえばソニーだから読むし、松下という名前を知っているから見るんです。それで「へえ、こんなものが出るんだ」とわかる。そんな中でトレンダーズという情報が入ってきてもすり抜けてしまって、受け手にとっては単なる迷惑な広告になってしまう。何もうれしくないということがわかったんです。

飛び込みがダメ、広告がダメ。でもまだ何かあるはずでした。相手から会いたいとか、相手からその会社のことを知りたいと思わせるような方法がいい。具体的に何がいいのかすぐには

思い浮かびませんでしたが、とにかくそういう形が小さな会社にとってはすごく重要なのではないかと思ったんです。

無名の会社が広告費ゼロで有名に

その頃たまたま人の紹介で一件の取材を頼まれました。二六歳のときでした。女性社長のコーナーというのがその雑誌にあって、取材を受けたんです。雑誌が発行されると、その記事を見た人からお電話をいただいて、ぜひ会いたいと、興味を持ってもらったんです。今までいくらこっちから行っても、全然会ってくれませんでしたし、興味も持たれませんでした。見た目がいかにも〝若いおネエちゃん〟で、なかなか信用されなかったのに、雑誌に載ったことによって、これまでとは違う流れができました。雑誌の信用度の上にうちの会社が乗っかって、結果として一気に信用度が上がったのです。マスコミに載ること、活字の威力というのはこんなにすばらしいものなんだということがわかりました。と同時に、記者の方が、二六歳で会社をやっているということはすごく珍しいですねというふうに言ってくれたのです。女の社長さんって少ないですよねとか言われて。あとで調べると、女性経営者というのは確かに五％しかい

なくて、九五％が男性経営者で、その五％の中でも世襲とか、つまり親が社長だったから自分も社長になったとか、だんなが仕切っているけど、名義上女性というのがほとんどでした。私のような、自分で起業した二〇代の女性社長さんというのはとても少ないということがわかったんです。

世の中のニーズに応えた

私がもともと女性起業塾を始めたのは、「私も起業したいんですけど」と相談を受けることが多くなったからです。起業したい女性が増えているのかなと思ったのがキッカケです。いろいろとリサーチしてみると、「いつかは独立したい」と考える女性が八割近くいて、いま独立しない理由は、「お金がない、人脈がない、経験がない」という回答でした。私にとっては「起業することがお金を生み出すことで、起業することで社長の経験を積むのに」と一見逆のように思えましたが、**「独立したいけれどもできない」というところに明確な解決できないニーズがあるように思いました。**もう少し調べてみると、「実際にほしいアドバイスは、身近な成功事例から」という回答がありました。であれば、自分が少しだけ先を歩いているので、経

験したことを伝えたり、共有したりすることで、背中を押すきっかけになれば、という気持ちでした。そういう気持ちで始めた女性起業塾です。始めたからには生徒さんに入ってもらわなくてはいけない。つまり女性起業塾の存在を多くの人に知ってもらわなくてはいけない。女性が一歩踏み出して起業できるように世の中を変えたい。起業するということを一つの生き方の選択として伝えたい。こんなふうに思ったときに、マスコミの方にお願いして大きく取り上げていただいたんです。

取材を受けることによって、記者の方が取り上げたいポイントがわかります。それは時代が何を求めているのか、のバロメーターでもあり、社会で私が必要とされるものは何かという疑問のひとつの答えでもありました。

雑誌に出てみると、女性からの反響もかなり大きくて、私のやっていることや考え方に多くの人が共感してくれたのです。そして、これからの時代、やはり女性の起業をサポートするためのしっかりした組織というものが、もっと大切になると考えました。

そんなきっかけで始めた「女性起業塾」が、ニュースとして夕方のテレビとか、多くのメディアで取り上げていただいたんです。マスコミのニーズと私の伝えたいことがちょうど合ったということです。彼らが取り上げたいことは、すなわち社会に必要とされる、要はニュースになるような、時代に合っていることです。そのポイントをきちんと事業として提起していかな

いと、おそらくニュースには取り上げられないはずです。経営者というのは結局、**少し時代の先を読んで、ニュースになるような、世の中に必要とされていることをやらないといけない**と思いますし、それができるのであれば、マスコミに取り上げてもらう価値があると思います。

マスコミへの売り込み方

では、どうやったらマスコミに取材してもらえるようになるのでしょうか？

ここでも、経営者脳の「主客の逆転」を使ってほしいと思います。こちらがいくら掲載してほしいと思っても、記者さんが記事になる価値があると思わないと取材に来ませんよね。では、「記事になる価値がある」ということはどういうことなんでしょうか？

実際の新聞や雑誌の記事、テレビの番組を見てもわかると思うのですが、マスコミに掲載されるということは、大きく分けると二種類しかありません。まずは「ニュース」、そして「特集」です。「ニュース」というのは、新しい事柄だったり、社会の動きを伝えるものです。「特集」というのはもう少し小さい動きでも、こんな面白いことがあるのかという発見だったり、巷でこんなことがはやっているということだったり、これからはやりそうなことだったりしま

す。

そして、自社を取り上げてもらう場合には、「商品、サービス」を取り上げていただくのか、それ以外、たとえば会社の面白い仕組みとか（以前よく、犬を飼っている会社というのがマスコミをにぎわせたことがありましたよね）、社長のキャラクターを取り上げていただくのか。

いずれにせよ「時代の流れに合っていて」「たくさんの人が見て面白いと思うこと」を客観的にマスコミに伝えていくことが大切だと思います。伝え方の方法はプレスリリースが一番手っ取り早い方法だと思います。Ａ４用紙一枚程度に自社の記事をまとめてマスコミに送るという方法です（詳細は弊社のサービス「広報担当」にもノウハウを掲載していますのでよろしければご覧ください）。

トレンダーズ自身もいろいろなプレスリリースを出して取材を受けることに成功してきました。たとえば、ネイリストの出張サービスを始めたときは「ネイルサロンの時代はもう終わった」というようなキャッチコピーを作って、巷ではネイルサロンがブームですが、青山をはじめ都内ではネイルサロン激戦状態になっている。ただ、女性にはまだまだ人気があるのと地方でのブームはこれから。そこで、イベントにネイリストをよんで、女性の集客を図るというのが非常に注目されている。という流れで構成して、たくさんの取材を受けました。

他には女性起業塾を始めた際には「二〇代、三〇代の女性社長が自らの経験を伝える日本初の女性起業塾開講」のように、「日本で初めて」であることと、「若い世代」であることを強調しました。その頃女性で起業をしている人は少なかったので珍しさを狙っていったのです。同時にリリースの中には「アメリカで景気が回復したのは女性の起業家がたくさん出てきて、女性を雇用したり、関連する消費、外食やベビーシッターなどが旺盛になったことがキッカケともいえる」ということや、「日本でも同じ流れがやってくる。現実に女性社長の会社は業績がいい」などの具体的な情報を付け加えました。他にも女性起業塾に関するリリースとして、女性の起業をブームにすることを狙っていたので「スチュワーデス、女子アナの次は女性起業家」というように、一見わかりにくいキャッチコピーでも目を引く工夫をして、「女性の人気職業の変遷は、以前はスチュワーデス、最近では女子アナウンサーなどが才色兼美の象徴であったのですが、ここにきて女性起業家が人気が高い、その理由は……」というようにトレンドの流れとともに、その説が説得力を増すような具体的なデータをつけました。具体的なデータは既存の統計でもいいと思います。自社がマーケティング会社でもあるので自社データや実際のコメントなどを活用し、リリースの内容に説得力を持たせるように工夫しました。

マスコミから取材を受けるようになると、だんだん懇意の記者さんができてくるものです。

私たちは過去に五〇〇回近い取材を受けて、いろいろなマスコミにお世話になってきました。そういった記者さんとのリレーションを非常に大切にしています。マスコミ取材も営業をするのと同じでリピートを受けていくことが大切です。そのためには、常に会社として、新鮮な情報を発信すること、自社の得意分野を明確にして情報収集に協力する姿勢を忘れないこと。そして、常にニュースになるような新しい動きが会社の中にあることです。そのようにしていけばマスコミといい関係が構築されているということになるのだと思います。

自社が掲載されることばかり躍起になっていると、記事にはなりません。客観的な視点で記事になる価値があるかどうか、そして、マスコミ側の利益にちゃんとなるかどうかということを検証していくのが経営者の視点になります。

ただ、掲載された際の効果はやはり非常に大きなものがあります。**記事というのはいわば、最高の口コミであり、メガ口コミです**。つまり通常一人が口コミできる数というのは限度があるけれど、マスコミが媒体に書けば、その記事を読んでくださる人皆が、口コミを媒体の信用に載せて発信してくださるわけです。日経新聞に載ることができれば、きちんとした会社としてのイメージ付きで数百万人に知らせることができるのです。

もちろん、マスコミとのリレーションも大事だけれど、やはり基本はお客様を大事にしなく

てはいけないと思います。マスコミも通常のお客様も同時に大切にしたいので、私は、やはりたゆまなく両立させることが大切だと思います。記事を書いてくださったら、そのいいイメージに合わせていいサービスを提供することは忘れてはいけません。

マスコミに出ると信用度が上がる

マスコミの取材というと、実は楽天にいたときに基本的な流れを実際に目にして学んだように思います。楽天はご存知のようにインターネットショッピングモールから事業を開始しました。設立当初は三木谷社長が直接営業をかけて出店を集めたんですけど、本当に数店舗ぐらいしか集まらない状態でオープンすることになってしまったそうです。まだインターネットショッピングが浸透していない時期ということもあって、そういう商売をやってもうまくいくはずはないと、なかなか真剣に聞いてくれる人はいなかったようです。ただ、三木谷社長が一橋大出身であり、興銀出身、ハーバードのＭＢＡホルダーでもある。そういうエリートがエリートの道を捨てて起業したということ自体が珍しかったのだと思います。ぽつぽつ取材が入るようになって、その記事を見た別のマスコミからまた取材依頼の電話がかかってくるという、取材

が取材を呼ぶサイクルになりました。その流れに沿って「これからはインターネットショッピングだ」という会社がやっていることも認知されていく効果がありました。つまり最初は、社名や商品自体の認知度が低くても社長の知名度を上げると、その会社というのはいい会社と思われたり、すばらしいと思われたりして共感を呼ぶ。そういうことがだんだんわかってきました。

私が起業した二六歳のときも、同じように考えてみました。女性起業家というのはその頃とても珍しかった。さらに二〇代というのはあまりいなかった。なので、若手の女性経営者というのを前面に出すことによって、社長の顔が見える会社であり、新しいイメージや親近感を持ってもらえるのではないかと考えました。そこで方針を決めました。それまでの「トレンダーズ」としての実績は何もないけど、「私個人」はサラリーマン時代にリクルート、楽天と経験しているという多少の実績はあるということで、それを安心材料やセールスポイントにして取材をたくさん受けるようにしたのです。この読みは当たりました。二六歳の女性社長は実際珍しいし、起業のブームのような流れがあって、取材の申し込みは後を絶たないという状態になりました。取材を受ければ、それを見た人は会社に対して好感を持ってくれます。「若い」ということがマイナスだったのが、「若くても真剣にがんばっている」「若さ、女性ならではを活

かしたサービスを展開している」というプラスの興味を引くことができました。その結果、会社のイメージがよくなると、今までこちらから営業を仕掛けなくてはいけなかったのに、逆にお客様のほうが「一度お会いしたい」と言ってくださり、お客様のほうからアポイントを入れてくださるという逆の流れが出来上がりました。もともと媒体、記事を通じて、信頼してくださっているので、仕事につながりやすい。掲載される前は若い女性がやっている単なる業者と見られていましたから、料金は安いことがまず条件で、でなければ仕事をあげられないという感触でした。今はお客様がパートナーとして考えてくださるので、仕事がやりやすくなったんです。

　起業してから今まで五〇〇回近くの、さまざまな種類の取材を受けてきました。それだけ広告を打ったら、たいへんなお金がかかりますが、幸い何もお金を使わずにここまで来ました。マスコミ戦略というのは小さい会社こそ大事だと思います。そして、私はマスコミに非常に感謝しています。今まで記事を書いてくださった記者さんのためにも、記事を読んでくださった読者の方のためにも、期待を裏切らないいい会社であり続けたいということは常に念頭に置いています。

取材の効果も土台があってこそ

トレンダーズは先述のように、マスコミに取材していただくノウハウとプレスリリースの配信のインフラを真剣に六年かけて作り上げてきたので、いろいろなお客様からマスコミ掲載の手伝いをしてほしいという依頼が来るようになりました。

ですので、現在プレスリリース配信サービスに取り組んでいます。実際に無名だった会社をテレビに登場させることができて、業績を一気に押し上げたり、新しいブームを作ることができたりと、非常にお客様に喜ばれています。でも、強調しておきたいのは「**マスコミを利用すれば商品が売れる**」とか「**取材を受ければ有名になる**」**という考え方だけはやめていただきたいということです**。記事になるということは有名になるということだけではなく、社会的な責任も一気に増すことですし、それだけ価値がある会社やサービスであるということが大前提なんです。ソニーや楽天が毎日掲載されるのは社会的に必要な存在であり、その動向が株価や経済に反映するからです。小さい会社がマスコミに掲載されるということは、それだけの理由があるからです。その会社の中にまだ日の目を見ていないけれども本当に世の中に必要なエッセ

ンスがあるかどうか。真剣にいいサービスを提供しているかどうか。時代の流れを牽引しそうかどうか。そういったことがそもそも会社の中で真剣に考えられていないと、ダメなんです。

社長がユニークだから、社長が女性で美人だからという理由で掲載されたとしても、それを見てお客様になってくださった方は、会社の内容にギャップを感じればがっかりしますし、書いてくださったマスコミさんの信用も傷つけてしまいます。そして、掲載の効果が後に続かないんです。

マスコミにPRをしようと考えていらっしゃるのであれば、会社の質を高めるためにあらゆる努力をしながら、Ｗｅｂサイトであらゆる有益な情報を出しながら、会った人に礼儀を尽くすという土台を一生懸命築いてこそ効果があるのだと思います。ただ載ればいいというものではなくて、やはり中に詰まっている何かがあるから載ったときにブレークしやすいし、その後取材が続くという状況です。小さい会社というのは知名度、ブランド力が非常に大事ですから、いいものをやっているという自信があれば、マスコミの力、媒体の紙面を借りるということに自信を持って出ていくべきだと思います。

第九章 お金をかけずに営業しましょう

広告を打てば最低でも何十万円とかかります。そして専任の営業マンを雇えば、年間数百万単位の人件費はどうしても避けられません。しかし、そんな費用は出せない、最初は少しでも節約したいというあなたは、お金をかけないで売る方法も知っておいたほうがいいでしょう。

ちなみに私の会社トレンダーズには営業マンはいません。でも自社の商品の良さを相手のレベルに合わせて伝えるということはいつもやらなければいけないこととして、そういう意味での営業はスタッフ全員でやっています。たとえばそれがインターネットによる販売でも、ネット上できちんと伝えなければいけないことです。いかにお客様にその情報を伝えるか、関心を持

っていただけるか、ということに力を入れています。**売るというのは、〃売りつける、売り込む〃のではなく、商品の良さを相手に合わせてきちんと説明するということなんです。**

営業マンを置かなくても

人はどうしてその会社を選び、その商品を買うのでしょうか。売っているその人のことを信用しているから、その会社のことを信用しているから、その会社のことが好きだから、その会社だったらやってくれるのではという期待……、こういう思いが「購買」という行動を起こす前に存在しています。だから、買ってもらうより前に相手の気持ちを醸成するということに先手を打っておけば、営業マンは要らないと思います。

第六章の「売る人はあなたです」の中の、〃顧客創出のピラミッド〃の説明でもお話ししたように、ひとたびお客様の信頼を勝ち得ると、信者化したお客様が口コミの発信源になり、商品の良さをどんどん広めてくれるようになります。今はインターネットで口コミ系の情報を扱うサイトも多いので、いったん火が点くと、噂が噂を呼んで非常に大きな効果を生みます。

営業マンといっても人によってスタイルがずいぶん違います。リクルートの営業マンはユニークで、お手本にしたい人が何人もいました。「**無訪問くん**」**と呼ばれる人がいたのですが、彼はほとんど営業に出て行かないのに、注文がどんどん入るという人でした。**やはり私の理想はこれでした。べつにペコペコすることもなく、顔つなぎに訪問しなくても、お客様が電話一本で「求人広告を出稿しますので任せます」というのは、営業担当としてはいわば憧れの境地です。

それからこれもいいなと思ったのは、特別に指名を受けてしまう営業マンでした。お客様から、「別に広告は出稿したくないんだけど、○○さんに会いたいから出稿するので、とりあえず会社に来てよ」なんて言われる人がいたんです。正直、それって超かっこいいなと思いました。別にこの広告枠はそんなにほしいわけではないけれど、何とか君の心をつなぎとめるためにたまには出さないとね、みたいなことを言われるんです。ここまでいくと、営業の辛いイメージはまったくなくて、優雅でスマートな成功者という印象しかありません。社長はコンサルタントの代金として広告料を払っているようなものだから、その代わり君の意見を聞かせてよというつき合い方でした。本当にこうなりたいと思っていました。

リクルートの営業の人って本当に売り上げのすごい人は、「先生」的なちょっと偉い感じが

ありました。そんな彼らは、「営業マンは別にペコペコする必要はない」と思っています。私もそう思っているところはあります。売れたらうれしいけれど、それは泣いて買ってもらうものではないんです。営業マンが、「別に買いたくないなら買わなくてもいい、でも、この商品は本当にすばらしくて、あなたにとって必要なものですが」ぐらいの態度でいると、かえってお客様は自社はこういう状況にあるから、それが本当に必要かどうか教えてほしいと、前向きにコミュニケーションしてくれるものなのだということを実感しました。

気前の良さが最後に勝つ

お客様があなたの会社に抱く印象というものは、コミュニケーションによって少しずつはぐくまれていくものです。そこで**あなたにぜひ実行してもらいたい成功の秘訣は、仕事を気前よくやるということなんです。**

つまり**気前がいい人が、結局は最後に最も多くを長期的に回収できるということを言いたいのです。**これは代金に含まれないからやらない、これは自分のプライドが許さない、これはお金にならないからやらない……そういう態度の人がいますが、それは意志を貫いているという

よりは単なる出し惜しみ、サービス不足です。結局、最高の顧客満足度を得ることができないのです。

自分で会社をやっていく人に必要なのは、やはり気前の良さ、旺盛なサービス精神です。**お金をばらまく気前の良さではなくて**、行動の気前の良さです。何をするにもその人なりのプライドがあると思いますが、やったら損だとか、謝ったら負けというのはプライドとは切り離しておきたいものです。

私は、**一番頭がいい人はいつもニコニコしている感じの良い人だと思います**。存在するだけで十分人を喜ばせることができますし、相手に好かれる。相手に好かれれば自然に人も寄ってくるものです。知らないうちに、自分の器が広がるし、その結果とてもいいことに結びつくと確信しています。

トレンダーズのやることを通じて、周りの人たちみんなに喜んでほしいんです。私のスタッフにもお客様にも、たとえば媒体を通して見ている人にだって、できる限り自社の強みでもあるサービス精神を発揮していきたいと思っています。

情報提供をすればするほど信用される

お客様と自分の関係というのは、たとえばトレンダーズという会社が役に立つからこそ、お客様がひいきにしてくださる、ということです。お客様は理由もなく永続的に自分たちのことを愛し続けてくれているというわけではない。そこはきちんとわきまえておく必要があるでしょう。

だから、**トレンダーズとして学んだこと、感じたこと、いいなと思ったことは常に提供し続けていくんです**。そうすることによって、お客様もその情報が有益と感じられればつながっていたいと思うわけですから、どんどん提供するのが一番です。いろいろな成功事例をトレンダーズメンバーが調査した結果、こんなのがはやっているとか、マスコミに掲載されるにはどうすればいいのかとか、ノウハウの部分でもOKです。とにかくお客様にはいっぱいトレンダーズからの情報を受け取っていただく。スタッフ一同、その姿勢を徹底しています。これによって何が起こるのでしょうか？

ちょっとずるい考え方かもしれませんが、**人というのは、自分がしている以上に相手にして**

もらっているとアンバランスさを感じていくものなのです。相手にいろいろやってもらうとそのうちだんだん申しわけない気持ちになってきて、お返しをしないといけないと考えるようになるんですね。だから、何か頼みたい仕事がでてきたときに、せっかくだから、この人にお願いしようと思うわけです。

トレンダーズでは多くの価値ある情報を無料で、ほしがっていそうな方に差し上げています。それを惜しいとは考えていません。自分で得た情報っていくらでしょうか？　原価はほとんどの場合タダです。もちろん何割かはそれに値段がつけられて売り物になるのですが、たとえたくさんの情報をタダで出しても、トレンダーズが損をするわけではないですから、惜しくないのです。むしろ、それが最後は自分に帰ってくると信じて――。相手のためになるようなことを提供し続けていくと、きっと何かあったときにトレンダーズの名前を真っ先に思い出してもらえるはず、と考えています。

人間というのは根源的にはされるよりも、してあげたい生き物、という気がします。特に女性の場合はなおさらではないでしょうか。お客様に限らず周りの人のために、自分が役に立てることをいっぱいしてあげたいと、もともと思っているのです。そう言うと、「それでは人のためだけに生きているようなものでしょ」って感じる方はいるでしょう。でも違うんです。人

間ですから、やはり期待以上にしてもらったことを忘れないし、そうしてあげ続けていることによって、そのうちあなたが困ったときに助けてくれるという形で戻ってくるんです。必然的にいい人間関係というのは、バランスが取れていくものだと私は信じています。私は別に最初からそういう展開を計画してやったわけではなくて、お役に立てばという情報提供をやり続けた結果、偶然わかったのです。**リレーションは、顔つなぎでも飲み会でも何でもありません。お互い有益な存在であり続けることなのです。**

名刺を活かす

誰かと名刺を交換したら、多くの人の場合それっきりです。起業したばかりのときは、人脈を広げたくていろいろな会に参加するでしょうが、その数があまりにも多くなると、そのうち、この人誰？　と忘れてしまうことが多いのではないでしょうか？　それはきっと相手も同じなのかもしれません。それは本当にもったいないことだと思います。だから名刺交換を儀礼的に終わらせないで、今後のおつき合いのためのツールとして活かして使う。そのきめ細かさが大切です。きょう会った感謝の気持ちをメールや手紙で伝えるとか、定期的に情報を送る、とい

うことなら今からでもすぐできると思います。こうやって**名刺の先にいつも気持ちをつないでいれば、名刺は生きた名刺になる**。名刺入れにしまいこんだままの紙切れではなくなるのですから、名刺を最大限に活用してください。私もスタッフもいったん名刺交換をした人は、絶対にそのままにさせません。むしろそのあとの関係を徹底的に維持する方向で、出会った人はいつか必ずトレンダーズのお客様になっていただくくらいの気持ちで考えています。「週に一回トレンダーズ」という合言葉のようなものがうちの会社にはあります。名刺交換をした方や、講演に来て名前を残してもらった方などに、毎週、何らかの形でトレンダーズのことを思い出してもらえるよう、あらかじめお断りしたうえで、許可してくださった方には、メールマガジンを定期的にお送りしています。それがリマインドとなって、トレンダーズのことを思い出す回数が増えるうちにいつしか脳に定着していただくことを期待しながら。

もちろんそういった意図みえみえのメールがたくさん来たら、受け取る人はウザいと思うに決まっていますから、迷惑に感じないよう、自己満足の情報ではなく、できるだけお金を払ってでも読む価値のありそうな、役に立って面白い情報を厳選してお送りすることに決めて、それは今も続けています。そしていつでも配信停止がしやすいように配慮しておく。それは最低限のマナーだと思います。

発信時間についても私たちなりに細かく気を遣っていて、**お昼休みの話題になることを狙っ**

て、あえて午前一一時半頃の発信にしたりなど、細かい工夫をしています。

流れをオートメーション化する

これまでのトレンダーズの取り組みに、「う～ん、大変そうだ」と思った方もたくさんいらっしゃるかもしれません。でもこれらのことは毎日の流れの中で自動的にやっていくことができます。**習慣的に、シンプルな方法に落とし込んでいけばそれほど無理ではないんです。**

たとえば、女性起業塾を何かの雑誌で見て、なんとなく気になっている。でもやはり起業ってほどでもないな、という潜在的なニーズがある人たちがたくさんいるんだと思います。その人たちには今すぐ塾に来てくださらなくても、私が、毎日日記を書いているホームページや塾の生徒が毎日日記を書いているホームページを見てもらったり、小冊子をあげてみたり、説明会を実施したり、一日体験講座を開いてみたりしながら、コンタクトし続けて少しずつ距離を縮める。いつか「起業したいな」と感じたときに反応してくださるように、信頼関係を徐々に構築しておくのです。そういう仕組みをつくることが事業なんだと思います。それを絶え間なくずっと続ける。こういうのは、オートメーション化できますから、私の頭の中では工場のイ

メージなんです。たとえば新しい名刺をもらったら、リストへ入れて登録されて、自動的に毎週メールが行って、たまには暑中見舞いやクリスマスカードなどのメール以外のものも届く。ふとしたときに雑誌の記事でトレンダーズのことを目にする。何か女性トレンドや女性の起業情報を見たいときにはトレンダーズのサイトにアクセスしていただく。必要なときに、一回買ってもらって、最大限満足していただく。その方の周囲の人がトレンダーズを必要とする際には紹介してくださる。そういう些細なことでも、**最も大事なことは、あきることなく淡々とやり続けるということではないかなと思います**。そういう流れが滞ることなく無理なくできるように、社内の仕組みをつくっています。別にその人たちを営業的にアナログ的に毎日訪問しなくても、いわゆる同等の効果が得られると思います。そういうほうが押しつけがましくないし、自然な感じがするんです。それでいつか気になったときに相手が買いたいと言ってくれればいいのです。

その**絶え間ないつながりが、心地のいいものであるように、配慮しています**。よく、営業ツールとしてホームページを作ったけれど全然売れない、儲からないという話を聞きますが、ホームページだけではまったく営業的に不足なんです。いわばあれは最低限のツールです。トレンダーズでも、新規開拓までは人間の力はあまり使わないけれど、新しく接触した人たちをどうやってアナログ的にこちら側に取り込んでいくかということについては、人の力を使ってや

るんです。差別化は、最低限のレベルを満たしたうえでの差別化というのが大前提ですから、底辺のところでの認知の広げ方と、時間がかかっても長期的な信頼関係を構築していく仕組みを真剣に考えることが大切だと思います。

アナログの底力

コンピュータやインターネットで何でもますます時代ですが、私は何もかもハイテクですませてしまうことは考えていません。**お客様が私の会社を選んでくださる最終的なポイントは、やはり人間と人間のアナログ的な触れ合いだと思っています。**もしかしたら時代の流れに多少逆行することが差別化につながったりするのではないかと感じることもあります。

たとえば、なにかの本で読んだのですが、**ある通販会社の社長さんが、手紙を書くだけのスタッフを何人も雇っているというんです。それでサンキューレターを手書きで全部書いて、リピート率が上がって、すごく業績が上がったそうです。**通信販売は店がないし、かかる経費はほとんど広告費です。そんなに広告費をかけるんだったら、その費用を手紙を書く人件費にあてられる、ということで手紙部隊にしたそうです。本来事業というものは獲得した顧客をリピ

ーターにできれば広告費が減っていくのですが、通販の商品がそうなるまでには時間がかかります。こうした地道なアナログの活動が人の心をつかむのは事実です。

手書きはやはりいい反応があります。私が以前、講演をした後に、感想をくださった先着何人かの人にDVDと小冊子をプレゼントするというのをやりました。結構たくさん応募が来たのですが、その資料を送るときに、ワープロで打った最後に、「来てくださって、感想をくださって、本当にありがとうございます」と署名入りで手書きで書いてそれをコピーしたんです。でも多くの人は一枚一枚に手書きをしたのかと思ってくださったようで、入塾申し込みが本当に増えたんです。自分でも予想しなかったことでした。ハイテク全盛のこの時代ですから、手触りの温かさみたいなものに余計引かれるのかもしれません。手書きが良いということではないのですが、たまには何か人の体温を感じるやり取りが相手への印象を強める効果があるのかもしれませんね。

第一〇章 人事のエキスパートになりましょう

あなたがマネジメントのできる経営者なら遅かれ早かれ、採用を考えることになるでしょう。月に二〇万円の人を雇ったとしたら、その二〇万円以上のリターンが出るような自分の働き方、会社の仕組みをつくればいいのです。たとえば、一億円の売り上げを一人で上げたいのなら、毎月八〇〇万円から九〇〇万円の売り上げで、一日で考えると四五万円だから、だいたい時給五万円以上の仕事を社長はしなければなりません。でも、社員がいるんだったら、別に時給一〇〇〇円の仕事を社員にやってもらって、自分は五〇〇〇万円の仕事という形にもできます。時間を買う感覚というのも身につけましょう。

経営者として、マネジメント能力をまず持つように意識し、さらに向上させることです。その能力が向上すればするほど会社の維持・発展のスピードが上がります。

マネジメントは、かなり苦手意識を持っている人もいます。でも女の人の中には案外、〝自覚はしていないけれどもマネージャータイプ〟もいるのです。「マネジメントなんて言葉はあんまり好きではないけど、何だかんだいっても人が好き、人の世話をやいたり、おせっかいするのは好きかも」という人が意外とマネジメントに向いていたりするんです。一方、人が大嫌いで世話をやけないタイプの人はマネジメントは苦手かもしれません。つまり、経営者の資質というのは、マネジメントが苦にならないこと。それも一つの大切な条件です。

採用力を上げる

いい人が採用できると会社のスピードが加速し、そうでないと、スピードに重りがついてずるずると遅れてしまいます。会社というのは船みたいなものだから、そのバランスが悪いと前に進みにくかったり、ムダな抵抗を受けたらエネルギーのムダ遣いになったりするので、小さい会社は特に採用に十分注意が必要です。特に創業期は、ほんの些細なことでも会社がつぶれ

る可能性がいっぱいです。逆に自分が会社に勤めようと思ったときに、その会社を選ぶ際に、やはり何社かを比べますよね。最初はどの会社もそうですが、**自分の会社に採用力がないときは、その採用力を上げる努力をしなければなりません。**特に小さい会社で採用が難しいからこそ、ぴったりそこにはまる人材が必要なんです。大きな会社は、間口が広いから誰でも受け入れられます。社員一人は一〇〇〇人の会社であれば一〇〇〇分の一です。でも、小さな会社はスタッフが四人だったら、四分の一だし、三人だったら三分の一を担うのですから、一人一人の影響力が強くなってしまうのです。だからこそ、ぴったりとはまる人をきちんと見つけないといけません。もろちん会社の中には、経営的に必要な人材と、お客様対応をするスタッフ、サービスによってもそれぞれで、アルバイトなど立場によっても必要なタイプというのは違ってきます。

では採用力を上げる、とは実際どうやればいいのでしょうか

採用マーケティング

会社側のマーケティングスキルのことです。表現力といってもいいでしょう。○○ができる、

どんな人が必要で、どういうことを期待している、というのを公に対し明確に伝えることなんですが、狙うターゲットに明確に響くような、うまい表現が必要です。よほど有名な会社であれば社名だけで人材が集まってくるかもしれませんが、小さい会社は仕事内容で勝負です。ちなみに、トレンダーズのホームページには、採用のことがいっぱい書かれています。今、うちの会社はどんな時期で、どんな事業をどのように展開してきたか、そして、どんな人がほしいと思っているかとか、さらにスタッフの転職体験記などまであり、それを見た人で、うちのターゲットになる人が心を揺り動かされるような内容になっています。社名で求人の魅力がないのであれば、**社風や、社員の様子、仕事の内容、ありとあらゆる角度から自分の会社をきっちり表現していく必要があります。**

動機付け

面接とか採用の過程において、その人が入った後、活躍できるような動機付けをするということです。その採用の過程において気をつけたいのは、とりあえず誰でもいいから、と採用すると、なかなか仕事に能力を発揮してくれないだけではなく、ミスやトラブルが発生してその後始末でその人を採用する以前よりも大変になってしまうことがあるのです。ミスやトラブルが発生して、うちの会社には合わないとわかってから辞めてもらうのは大変です。会社のイメ

ージも下がるからです。入社後に面倒くさいことが起こるくらいならば、入社する前にできるだけいいところも悪いところもお互い把握することが大切です。書類を見た時点で、その人がどんな人か、だいたいの仮説が立つと思います。私はいつも、こういう人が必要だという、頭の中でイメージがあって、書類が来たときには、当てはまると思った人にだけ会うようにしています。

採用の場面では性悪説でいいと思います。この部分はいいけど、この部分は心配だなとか、というのを真剣に検討して、懸念事項を全部洗い出したうえで、慎重に採用することが大切です。さらにうちは三カ月間は試用期間というのを決めています。**フィーリングで採用しないで、できるだけデータ、書類で冷静に見ることが大切です。私は書類をたくさん書いてもらうんです。**まず履歴書、職務経歴書はもちろんのこと、項目が十何個あるアンケートを書いてもらいます。たとえばあなたがトレンダーズに貢献できることとか、あなたのプロ意識って何ですかとか、過去に一番プロ意識を発揮したことを書いてくださいとか、そういうことをたくさん書いてもらっています。マーケティング希望であれば、企画書も見せてもらいます。その人の書類によってどんな人かということはある程度の範囲で予測できるからです。そして、面接で言っていることが書類と矛盾がないかとか、イメージだけで捉えていないかとか、そういうこと

を一つ一つ確認していきます。

たとえば、履歴書の書き方に常識がないのは問題外です。汚い字で書いてきたり、二本線で消してあったり。そういうことに鈍感な人って、入社してからも常識がなくて、お客様に提出する書類も絶対いいかげんに出すんです。自分の履歴書さえ丁寧に書けない人がお客様の書類だけ丁寧にやるわけがない、と考えますので、そういう人は採用しません。

アンケートなどの言葉遣いが幼稚な人は大人の社会でもまれていなかったり、入社してからも甘えている感じの人が多いです。そのほか、私が予想もしえないことをしてくる人も結構いるんです。証明写真に自分のダンスしている写真を切り取って貼る人。写真が曲がっている人とか、そういう人は論外です。そのほかにも書類に判を押していない人はおっちょこちょいな人が多いとか、本当にいろいろな人がいるものです。でも、自分の常識の中では理解できないタイプの人は、やはり入社してからも理解できないということが多いのです。

つまりは、履歴書って何のために書くのかということをじっくり考えていないのです。そうやって本来の仕事の目的を確認しない、ちゃんと頭を働かせない、相手のニーズにあったアウトプットを出そうとしない人が多過ぎます。自分を採ってほしいという気持ちは伝わってきますが、意欲を見せるだけでは仕事にはなりません。ビジネス上で自分を売り込めるポイントを伝えなければならないはずが、そうなっていないんです。

それから、マーケティング業務をやりたいから応募したけど、トレンダーズのことは何も知らないという人も多いんです。マーケティングの仕事を探していてトレンダーズたどりついたということでもいいんです。でも、採用面接を受ける前にどんな会社か調べるべきだと思います。この会社は、今こういうステージだから、こんなことが足りないのではないかとか、推測でもいいんです。何か会社に入って、自分はこういう仕事をするのだというイメージができない人は、事前調査が甘いからマーケティングの仕事には向いていないのです。

トレンダーズの場合、女性起業塾という事業を中心に女性を応援するというサービスを提供しているので、やはりここに入れば救われるのではないかとか、成長できるとか、みんな働いている人がきらきらしているから自分も輝けるのではないかとか、何かそういう依存的な気持ちで受けにくる人も結構いるのです。その辺の見きわめもちゃんとしていかないといけません。会社ですので業績を上げてもらわなくてはいけないのであって、その人の夢や成長につき合うだけでは成り立たないからです。

こんなふうにいろいろな方がいますから、結局これだという人が現れるのは、一〇〇人に一人ぐらいだと思っていてちょうどいいぐらいではないでしょうか。それくらい忍耐強く向き合っていけば大丈夫だと思います。

採用活動って本当にいちいち細かくて面倒くさいというイメージがあるかもしれませんが、こちらもきちんとした流れにしておけばいいのだと思います。トレンダーズの場合、履歴書をもらったら、自動返信でアンケートに答えてください、という十数項目のアンケートを出しておくんです。そうすると、大体半分ぐらいの人は送ってきません。その時点で面倒くさいんですね。でもそういう人は、ちょっと面倒くさい仕事を頼んだら、面倒くさいと考えるわけですから、いい選別方法だと思っています。それで、返信が来て、拝見して、普通にしっかり書けていれば、適性テストを受けてもらうんです。ある程度の適性以上の人しか会わないというようなやり方をすると、やはり最初の一〇〇人のうち、戻りが五〇で、そのうち適性検査でいいなと思う人って、ほんの四人程度しかいないから、その中から採ればいいんです。

こうやって人を選んでいくというのは、何かやはり上から人を判断しているような気分にもなりますから、採用はあまり楽しい仕事ではありません。でも最初に話しましたように、スタッフが優秀で会社にぴったりとあっていれば、業績も飛躍的に伸びるのです。スタッフも相性があうと、飛躍的に伸びていくのです。だからお互いの結婚、宝探しみたいなものと思ってがんばっています。

トレンダーズのようにベンチャー的な会社の採用の場合、どんなに多忙でも平気、という人

でないとダメなんです。しかしながら、忙しくても平気ですかと面接で聞けば、ほとんどの人が平気だと言うので厄介です。本当に忙しくても平気かどうか確認したかったら、たとえば、「今まで一番ストレスがたまったことを教えてください」とか、「今までで一番やり遂げたなと思うことを教えてください」とか、「今までの中で、結構仕事的に詰まっていたときのスケジュールを朝から言ってください」とか、聞きたいことをそのまま聞くのではなくて質問の角度を変えて、いくつか質問をしてその答えを聞いて総合的に判断するのです。そのときにどう思ったかとか、どう感じたかとか、何かそういうことを確認していけば、ストレス耐性があるかどうかわかります。そして、業績をあげてほしい場合には、あなたが今までで一番がんばったことはなんですか？　と聞いて、あまりにも稚拙なことはやはりダメだし、求める成果が出せるのかどうかは、過去にその人がどんな成果を出してきたのか、そういうことは具体的に聞きます。人間は基本的に過去の行動の延長線上にしか成長していけないと思いますので、その角度が会社が求める角度とずれていたり、同じ「貢献」という言葉でも、相手と自分が全然違う解釈をしていたら入社後もコミュニケーションがずれる可能性があります。具体的な数値で質問をしていくというのもいいかもしれません。たとえば以前いた会社で同期の中だと何番ぐらいだと思うかとか、自己評価でもいいから、それをきちんと聞いて、客観的に冷静に判断していくことが非常に大切です。

たとえば、あなたが採用に自信がないならば、人材斡旋会社に依頼するという方法もあります。ただ、経営者自身が採用のスキルを上げる必要があると思います。自社の採用だけではなくて誰とパートナーシップを組むかというときに人を見極めるのにも、自分なりの評価基準を持つことが非常に大切だと思うからです。できるだけ採用活動は人任せにしないで、アウトソーシングするにしても、自分も一緒に参加する形でやってみたらどうでしょうか。たとえば面接に立ち会ってもらったりして、プロの方に教えていただきながら、自社にあった人材の見極め方を学ぶことができます。**会社は人がすべてです。よくも悪くも人材次第です。私は、一番大事な仕事は採用だと思います。**自分が選んで採用した人が自分の会社にあわない人だったら、それは大変なショックです。それは相手のせいでもない、やはり経営者の責任です。だから、採用に関しては、やはりある程度自分で真剣に採用活動をしてみて、入社後の様子を教育しながら見ていって、どうだったのかというデータの蓄積はしたほうがいいのではないかと思います。

それから、親類から縁故採用を依頼されたり、自分の目的達成の通過地点として入社を検討している方の場合ですが、本当に能力がある場合を除いて、採用しないほうがいいと思います。

小さい会社のほうが仕事の難易度が高いということを忘れないでください。仕事のスキルだけではなく全体をうまく進めていく気遣いも必要で、カバーする範囲もとても広いのです。縁故だからといって、甘く考えていると入ってきた後が大変です。こちら側は縁故なだけに厳しくしかることもできない、お互い中途半端な関係になってしまいます。実際に、大きな会社ならいろんな人がいるから、一人ぐらい、周りに寄りかかってもそれほど目立たないかもしれませんが、小さい会社はそうもいかない。一致団結して新しいことをどんどんやっていかなくてはいけない。だから、自分のことだけを考えてスタンドプレーを希望して入社してくる人がいたらやはりチームワークが崩れる可能性が高いのです。

組織づくりの第一歩は?

最初に会社を立ち上げようと思うときに、たぶん一人で始める人がほとんどかもしれません。多くの人がやってしまうミス、思い違いがあります。自分の腕一本でずっとやっていこうと決めてしまうことです。それはいけないわけではないのですが、ずっと長くサービスを提供し続けようと思ったら非常に難しく感じる場面に頻繁に出会うことになるでしょう。**自分一人の力**

のみに依存すると、永遠に高いクオリティーの仕事をし続けることが非常に難しくなります。自分の体調のことだけではなく、時代、お客様に合わせてどんどんスキルを磨いたり、サービス内容を変えていったりすることが難しいというのも理由の一つです。一定の技術のようなものの場合は価格競争に巻き込まれやすかったりします。だから、そこから抜けて、安定的にクオリティーの高いサービスを長期にわたって提供しようと思ったら、やはり事業を構築していくことになるでしょう。そこが組織づくりの第一歩になります。その転換の目安は、おそらく、自分自身の仕事がいっぱいいっぱいになったときに、誰かに手伝ってもらうという必要が発生した場合になるのではないかと思います。

その時点からは発想を転換して、社長としてのあなたの仕事に徹することに切り替えていくのです。仕事を社員の誰よりも長く一生懸命やったりすると、いつまでも利益を生み出せる組織ができないのです。

そのためには、周りのことを見つめましょう。自分のことはひとまず置いておきます。全体を見て仕事の流れを決めましょう。そこだけに集中して一生懸命やると、うまくしたものでいい流れができるものです。組織がある一つの工場のようになって、オートメーション的に、自動的に流れていく仕組みができます。そのときに自分を日常業務にいれてしまうのはあまりよ

くないと思います。**社長はその流れていく様子がスムーズにいっているかどうか見守る仕事であり、何かトラブルが起こったときに対応する、いわば監督のような仕事をしてください。**組織内で業務を中心になって遂行してくれるのが、スタッフです。だからスタッフとその環境づくりが最優先になるのです。そこを忘れてしまうと自分自身がボトルネックになって、なかなかスムーズにいかなくなってしまいます。

初めての人材募集。私のやり方

ここで人材の採用の話に戻りましょう。ここでは私自身の経験を振り返ってみます。私は常に採用できる範囲で最高の人を採用するように意識してきました。採用できるレベルに法則があることがわかったのは最近です。面白いなと思うのは、会社のレベルが上がると採用できる人のレベルも上がっていくんですね。来る人のレベルが変わってくるから、そういう意味では採用って、本当に生き物だなと思います。だから採用力を上げたければ、会社の力を上げていくことが、一番大切なことなのです。

実は、起業したばかりの最初の頃、自分が人を雇うことなど全然考えていなかったんです。

でも仕事に集中しようとすればするほど、全部やってしまうと、自分の時給の平均が下がっていく仕事も発生してくるようになりました。それは時に自分自身の苦手な分野で必要以上に時間がかかってしまうことだったり、ほんの些細な庶務業務、つまり郵便局に行ったり、届け出の書類を書いたりするというもので、ほとほと困っていました。

コンサルタントとして仕事を始めた頃は、身近にいた人がお客様でしたが、誰であれ、その人たちは永遠に私にお金を払うわけではないので、常に新規のお客様が構えている状態でないといけないと考えたときに、自分のホームページをつくろうと思ったのです。当時はインターネットがどんどん普及していった時代で、ホームページをつくれば新規のお客様が来るのではないかと考えたんです。

この頃の私は、人を雇うのはすこし責任が重過ぎて怖いと考えていました。だから、外注でホームページをつくってくれる人をインターネットで探すことにしました。どの人も最低一五万円はかかったんです。

一五万円は、そのときの私にとっては結構な金額で、アルバイトが一人一カ月雇えるなというように思いました。そのときふと思いついたのが、たとえばホームページがつくれるアルバイトを雇ったとしたら、その人はホームページをつくりながら、きっと郵便局にも行ってくれる、と思ったんです。

アルバイトだったらなんとかなるのではないか。当時数社のコンサルティング案件もあったので、もし雇用したとしても、半年先までは大丈夫な気がしました。そこで、思い切ってアルバイトの採用を始めることにしました。私はもともとリクルートで求人広告をやっていましたので、求人広告の作成には自信がありました。それでアルバイト募集の広告を出したところ、たくさんの応募が来ました。私はこの採用を結構真剣に考えていました。やはり採用がすべてだと思ったのです。単に求人を出したわけではなくて、どんな人がうちで働きたいんだろうか、そんな中で優秀な人はどんな人なんだろうか、というのを真剣に考えて、それに沿って募集したんです。

というのも、無名の会社にはそれなりの人しか集まらないことをよく知っていたからです。私がこういう人を求めているといっても誰もトレンダーズなんか知らない。無名の会社では誰しも不安かもしれないと思いました。だけど、そのときのトレンダーズには、そのときしかない強みがあるはずだと思いました。それは創業間もない会社だということ。そのころはベンチャーブームだったから創業したいと思っている人はたくさんいるだろうなと思ったし、そういう種類の人のほうが会社の成長が自分の経験に一致するのですごい力になってくれると思えました。なので、**創業メンバーという色をすごく出して、一緒にゼロから立ち上げませんかと呼びかけたんです**。それでもなお心配だと思ったから、アメリカの何とかというバックアップ企

業がいるとか、私を応援してくれる人の情報を出して多少なりとも安心感を表現しました。すると、たくさんの応募が来たのです。それも結構骨のある人が。システム開発までできる男性と、一般事務から何から何までやってくれる女性を採用しました。本当に運良く、たまたまうまくいったということだったのかもしれませんが、とてもいいスタートが切れました。

人を雇うメリット

人を雇いいれてよかったと思ったことは、自分しかできないこと以外をやってもらうことで、自分の時間が増えたことと同時に、人を雇っているということによって学ぶことがすごくたくさんあったことです。人材マネジメントの経験ができたということも一つそうだし、業務の進行管理についても学びました。全体のプロジェクトマネジメントですが、この能力を上げる訓練になりました。

今までは自己管理だけができていればよかったのが、そのスタッフやお客様も含めてかかわる人が多くなれば、プロジェクトをマネジメントするというふうになって、ここでようやくマネジメントらしい形になるのです。

一人でやっているときは自由です。左手を動かしたければ思ったとおりに左手がすぐ動きます。だけど、それを間接的にやるということがマネジメントだと思うのですが、誰かにやってもらうというのは、二人羽織でおそばを食べるような感覚がありました。最初はとても難しく感じましたが、それは人を雇わないとわからないものだなと実感しました。給料を払うのも勉強代だと思って雇うべきだと思います。面倒くさいのと経費がかさむ、悩みが増えるのもあって、結構そこで挫折してしまう人がいるんです。一人でずっとやればいいと考えてしまう。確かに人とかかわるということはとてもストレスがかかることです。でも、一人がうまくマネジメントできれば、次は二人目、二人が五人、一〇人となって、知らず知らずに自分も慣れていって、結果としてはそのほうが一〇倍早いわけです。

人は人を雇って強くなる

人を雇ったら、仕事を継続的にとらなければいけない、安定した売り上げを毎月確保しなくてはいけない。それが鉄則です。人を雇うまでは、自分一人が食べていければいいから安定しなくてもそれほど不安はありませんでした。そして、何か嫌なことがあったら最悪の場合は会

社をたたんで再就職すればいいやという気持ちになることもありました。失敗したら一日二〇時間コンビニで働けば食べていけるかとか、二〇代のうちに銀座で一回働いてみたいとか思っていました。会社が小さいときや自分一人でやっているときは特にそんな感じでした。ただ、人を一人雇った瞬間から、自分の勝手にはできない。その人の分の固定の収入がないといけないと思ったら、きちんと事業モデルを考えなきゃいけないんだと覚悟が決まりました。おまけに、**この人（従業員）を幸せにしなくてはいけない、なんて考えるようになりました。私は人を雇ってやはり責任を背負ってちょっと強くなれたし、成長できたと思います。**

それが自由か不自由かという議論になったらわからないけれど、そうやって重いバーベルをつけたり、リュックをしょったりしながら、負荷を背負うことによって人間としての器が大きくなっていく。それでいいんだと思います。

そしてどういう形になったかというと、コンサルティングをパッケージ化したマーケティングになったんです。私はそれをやりながらわかっていったんですけど、初めから知っていればもっと早かったかなという思いもあります。だから、起業をする皆さんには最短コースを知ってほしいなと思っているのです。

友達と起業するときの注意点

友達と小さな会社をつくって経営していくのは一見楽しそうですが、とても難しいと思います。かなり大きな組織で仲間が役員で自分が社長になる形ならいいと思いますが、とかく小さな組織では衝突が多くなって仲間割れになります。だから、私ならそれは避けます。

でも、現実にはその形が一番多いだろうと思います。やりたい仕事がある。でも一人で始めるほどの勇気はない、でも仲間がいればできる、という方向にいきます。信頼関係があるんだから、ぜひ一緒に、という気持ちもあるでしょう。

でも会社員時代のような甘い考えではやっていけないことは誰でもわかります。確実に利益を出していかなければなりません。仲間の誰かの決定がもとで穴を開けるようなことになったら？　決裂は目に見えています。

これを防ぐ方法があります。**友達には外注先になってもらって、あなたが発注する形をとるんです。つまりパートナー会社として協業すればいいんです。**

たとえば、お弁当屋さんを私がやるとします。最初から役割分担を明確にしておきます。私はお弁当屋さん全部のマネジメントに責任を持つから、あなたはあなたで会社をつくるなりして仕入れを担当してくださいと。私は顧客を連れてくる会社になります、とやるのです。こうして最初はパートナー同士でやって、ある程度仕組みができるまでは目をつぶっていきます。失敗も許し合って、歩み寄る。我慢することもあるかもしれないけれども、やはりうまくいかないとなったら、お互いほかの人にチェンジできるという、その可能性を残しておくことが大事です。それが心の余裕になるのですが、そうやっていかないと、必ず自分のところにツケが回ってきます。

とかく、一緒にやるとなあなあになる可能性もあるわけです。まあいいやという状態でやっていくと、お互い成長しません。相手の弱いところを見つけたり、うまくできていないところを見つけて非難し合って前に進まなくなってしまうのです。

選択肢が少ないというのはビジネスにとっては致命的なことです。友情を優先するあまり、世の中にはもっといいものがたくさんあるというところを放棄してしまうんですから。これでは進歩もありません。

私も最初に会社を立ち上げたときに、自分一人でした。そのころは起業ブームで、友達が手伝いたいと言って何人か来たことがありました。自分の手伝えるときちょっとだけ手伝いたいというから、ではお願いねと返事をして、週末だけとか平日に時間のある夜にというように手伝ってもらっていたんです。

私もその頃は、どうなっていくかが予想できなかったので気軽にいいよと言ってしまったんです。確かに、いろいろ調べてくれたりして、助かった部分もありました。でも結局、最終的に何かを決めなくてはいけないときに、困ったことになりました。私はこう思うからこう決めると言ったときに、「香保子ばっかり」みたいなことを言われたんです。

この時わかったのですが、友達は、楽しむことを目的に手伝いに来ている、私は成功することを目的にやっている。友達は「現在」をみて仕事をしているけれども、私は五年先をみて今を踏ん張っている。だから、そこが絶対かみ合わないんです。楽しくて成功してしまうのが一番いいんだけれども、最初はそうもいかないことが多いんです。

ただ、今の段階になったら、そういう人がもしいたら、きっとうまくパートの部分でお願いできたかもしれません。それは自分の足場がきちんと作れて、ちゃんと人を使えるようになったからだと思います。でも、設立当時にはやはりできませんでした。

その頃はすべてが不安定でした。右と左がその日の朝と夜で変わってしまうぐらい、組織や

立場を構築するのは大変です。だから、そのときにあまり責任のない発言をされると、すごく困るわけです。説得するのに時間がかかったりして余計に大変でした。

だから、**会社がある程度になるまでは友達とは一線を引いておくのがいいでしょう**。友人に頼むのは、この部分が足りないからこれが得意な人が必要というように、明確なオーダーができるようになるまでやめておきましょう。

人の経費は給料の二倍以上

経営を始めたばかりの頃によくおかす間違いは、価格の設定です。異常に安くつけてしまう。たとえば社員一人当たりの売り上げというのは、三〇〇〇万円は売り上げないと、会社として健全には成長していかないと思います。経費は思った以上に多くかかります。たとえば、人を雇うときにも、人ひとりに支払う給料の、少なくとも二~三倍は経費としてかかることを覚えておいてください。経費はその社員の保険、会社の設備費など全部含めてです。たとえば年収三〇〇万円の人を一人雇おうと考えた場合には、会社として年間六〇〇万円以上の支出が必要です。ということは、月最低でも五〇万円はその人にかかる。そうしたら、売り上げは幾らぐ

らい必要か、おのずとわかりますね。私は採用の面接ではっきり言います。「あなたを一人雇うと、このぐらいの売り上げが最低必要なので、それは守ってもらうという前提でいいんですね？」。それで、合意してもらいます。

目標金額は期待しているよりも高めに出してあげたほうがいいんです。五〇〇〇万円と言っておいて、がんばって三〇〇〇万円だったりということってよくあるんです。最初から三〇〇〇万円と言うと、二〇〇〇万円で終わってしまう部分もあるので、経営者が思う目算と、社員に言う目算は、もちろん多少は違っていいのです。

マネジメントはよく見ながら

自分のスタッフと自分との位置づけや距離感については、いつも考え続けていることです。今までの業績は本当にスタッフのおかげだと思っています。**スタッフのことは全面的に信用しているのですが、完璧にほったらかし、では絶対ダメだと思います。**スタッフは基本的には好きにやりたいんです。そして、もちろん会社にとってプラスになるように考えてくれます。でも、最後まで責任はとれません。だから、私が責任をとって好きにやってもらうんですが、

時々軌道修正は必要です。それは無理やりねじ曲げるのではなくて、引き出してあげたり、そっちの方向にちょっと向けてあげるようにしています。そのバランス感覚のようなものがうまくいかないと、まず、人間的な部分でこじれてしまいます。そのスタッフが自分は力があるのに活用されていないとか、自分のほうが本当は社長よりすごいのに、仕事してやっている、みたいに思う人だと、まずうまくいきません。

うまくいかなくなる一番大きな原因は、見ている先の長さが違うということからくるのがほとんどです。スタッフは今現在を見て仕事をしています。でも経営者はもっと先、三年五年先のスパンで仕事をしているので、できる種類の我慢が違ってくるのです。経営者は長期的に見ているので、今大変でも仕方がないと思いますが、スタッフは違ってきます。そういう微妙な差を調整することが大切です。**マネジメントをするようになったら、やはり自我を抑えることと、あとは忍耐力です。**自分と他人はどうしても違います。だから、自分が思うようにやろうと思っても思うようなスピードでは絶対進まないし、思うようなやり方でもやってくれるわけではありません。でも、結果が思うようであればいいわけで、その過程をどういうふうにうまくマネジメントするか、だけなんです。そのときには忍耐力が必要で、言わなくてもいいような些細なことは言わないようにしたり、自分の感情のコントロールができればいいのではないでしょうか。

社長とスタッフの間の一線

女性経営者は、やはり女性を雇うほうがやりやすいし、そのスタッフたちと家族のように小さな事業を手作りしていきたいというのもよく理解できます。しかし人事管理の点で、女性経営者が陥りやすい落とし穴に気をつけてください。**あなたは女性のスタッフと単なるお友達になってしまったらいけないのです**。いったんお友達モードになったら、元に戻せなくなります。言いたいこともだんだん言えなくなったり、狭い視野のなかで解釈されても説明が難しいことが出てきたりします。

身近な良い人たちなんだけど、**意識的に、その線は明確に引かなければなりません**。多分女性の社長さんはそのことで多く悩むでしょう。女性はスタッフといっても家族のように考えてしまうし、仲間にはやはり嫌われたくない気持ちがすごく強いし、でも私は高給とっているからいいわよ、というふうにも思えないところがあります。むしろお金は少なくても、仲良く楽しく、を優先したいという考えの人もいますから。

男の人だったら、自分は社長だし、権力もお金も持っているから、いくら嫌われてもみんな

が思うようにしてくれればそれでいいという、ある意味鬼のスタイルでいけても、女の人はやはり違います。特に女対女みたいになったときは難しい。その部分のマネジメントに敏感になって少し気をつけておけば、あとあとうまくいくと思います。具体的には、社員と自分の線引きと、そのルールを明確化することです。

できたら最初からルールを明確にしておくほうがいいと思います。あとからこうだったんです、と言うよりも、事前にちゃんと言っておくほうが絶対にいいんです。月曜日には絶対に休むなとか、コピー用紙の裏側が白紙なら捨てないで再利用するとか。小さい組織だからなあなあになりがちですが、このあたりの小さなこと、当たり前のことを曖昧にしないのが、大事です。

聞いた話によると、米軍の基地では軍人の等級によって使う施設がいちいち制限されているそうです。住宅やレストランやバーまで。軍隊は上官に絶対服従することが求められるから、生活のあらゆる場面でそれを知らしめられる、つまり誰が上であるかを二四時間意識させられるんだそうです。女性はそこまで厳しく考えなくていいとは思いますが、組織を統率するために、それぞれの会社にはそれぞれにあった形があるような気がします。

また**私の尊敬する女性社長さんは**、**スタッフと食事に行かないと言っていました**。納会などには行くんですけど、基本的に友達みたいにするとあとで厄介だから、そのラインは越えない

ようにしているとの方針を持っています。

定期的にどんな起業スタイルが好みか、というようなアンケートを女性にとっているんですが、結構多くの人がシェア型オフィスのようなものに関心を持っているんです。みんなそれぞれが得意分野を持っていて、それぞれお金を稼いできて、シェアするというスタイルです。デザイン事務所みたいな感じで、それぞれの顧客がそれぞれいて、たまたまシェアしているというのならわかります。望んでいないかもしれませんが、それぞれが自営業スタイルという意味ではうまくいくと思いますが、多分、事業としてやりたい場合、うまくいかないかもしれません。やはり**経営というのは誰か一人が圧倒的なリーダーシップというか、最終の意思決定者がいて、基本的にみんなはその人を信じていて尊敬していて、その意思に賛同して動くというスタイルができないと難しいと思います**。だから、そういう意味では経営者は孤独ということなのかもしれないけれども、みんなが力を合わせて大きなことを成し遂げたいのであれば、ある意味仕方がないことなのだと思います。

第一一章
起業から最低三年はがんばりましょう

起業した人にとって、**挫折につながる大きな二つの山があります。一つはすぐにはうまくいかないという山で、もう一つはうまくいかなければすぐにやめてもいいやという気持ちの山です。あなたはこの二つの山を克服すればいいのです。**

始めたばかりの頃は、自分が会社をやっていることは周りもあまり知らないし、ダメそうならやめればいいやと思っているんです。つまり、まだ退路を断っていないんです。でもそういった気持ちのままやっていても、甘えが出てきやすいし、経営者として自立していない状態が続きます。私はこの言葉を贈ります。

「まずは黙ってしっかり足元を固めましょう！」

努力の成果はいつもちょっと遅刻してやってくる

創業当時というのは、誰でも本当に大変な時期なんです。うまく思ったとおりにいくことのほうが少ない。でもそれが普通でそれで大丈夫だと思うのです。努力の成果は時間がたった頃にやってくるので、「少しだけ粘り強くなる」というのをいつも座右の銘にして、あともう一押し、あともう一押ししていたらある日ついに開通したということってあると思います。**大きなことをやろうと思ったら、その成果はやはりずいぶん時間がたってから見えてくるものです。**高い山に登ろうと思ったら時間がかかるのと同じです。

自然にうまくいく起業はない

「起業に興味があるのですが、うまくいくんだったらやりたいです」

そう相談してくる人が多いです。心理としてはとてもよくわかります。でも、本質的な考え方がちょっとずれているのです。「**うまくいくんだったらやりたい**」ではなく「**必ずうまくいかせる」意気込みでやるもの**だし、相談するなら、「こういうことを成功させたくて、三つの方法を考えていて、どれなら一番うまくできそうなのか教えてください」という聞き方が正しいのではと思います。この本を読んでくださっている皆さんは、私がある特殊な成功の秘密を知っていて、それを本の中に探しているかもしれません。でも残念ながらそんな魔法の杖のようなものを私は持っていません。お読みいただいてもわかるように**ただひたすら愚直に、でも少し器用に効率よくやっていくしかないのです**。何もしないでうまくいくビジネスなどないのです。もし成功に王道があるとするなら、それは、うまくいくまで自分は絶対に諦めないということだけです。うまくいくんだったらやりたいという発想ではなくて、絶対うまくいかせるのです。結果が成功するかどうかなんて、誰もわからないけれど、そこに到達するまでしがみついてもやる。自分でそう決めてしまうのです。決めたことは決めたこと。邁進するだけです。少し進んで嫌だったら戻ってこようという気持ちはないんですよ。あとはいかに客観的に物事が見られるかです。うまくいくんだったらやるけどぐらいの経営者には、人が誰もついてこないだろうと思います。

今の事業がうまくいったら、次にこんな事業をやりたい。それだったら、私もよく考えています。その違いがわかりますか？　うまくいくんだったらやる、というのは何もしないうちから、ダメそうならやめておこう、という姿勢です。一方、今の仕事がここまでいったら次はこれだ、というのは、目標達成です。やると決めたら、何が何でもうまくいかせるということです。常に受け身ではなく、能動的な姿勢です。だから今サラリーマンでも、今の自分の器がすごく満ちてきた、会社で十分評価されたときを感じるまでやってみてください。そうすると、また器が大きくなって、それでまたうまくいったら次の仕事がやってくる、というサイクルが生まれるでしょう。**小刻みでもいいから、目標を持つ**。それでいいのです。自分が、ああよくやった、と思えてかつ周囲が「いい結果が出た」と納得できるぐらいまでやってみてください。

結婚も一緒ではないでしょうか。あるネイリストさんと話したとき、彼女はこう言っていました。結婚って、よくわからない。いったい何の条件を優先すればいいのか。お金なのか、優しさなのか、相性なのか。それで気がついたのです。私は結婚相手に条件はそれほど望んでいなくて、もしかしたら誰でもいいのかもしれないと。変な言い方になりますが、自分は誰とでもうまくやっていけるのではないか、とも思っています。結婚するとなったら、相手の人とどうやって仲よく結婚生活を送るべきかということが、仕事というか課題になるわけですよね。

もちろん相性がいいほうがうまくいく可能性は高いのですが、この人だから絶対にうまくいくという他力の結婚はないはずです。お互いがお互いを思いやって、一緒にうまく結婚生活を送り続けるにはどんな工夫をしたらいいのか？　それを毎日考えて実践し続けるということが大切なのだと思います。

結局こういう考え方も、社長として生きていくうちに身についたことなのかもしれません。目標に向かって努力し進んでいって、結果は結果で受け入れる覚悟があります。もしかしたら将来離婚（または倒産）しているかもしれないけれど、うまくいくようにやると決めたらやるしかないんです。もちろん事業というのは波乗りみたいなものですから、いい波を見きわめてタイミングよく乗るという、ある程度の勢いを利用するということもあります。でもそれは波を期待してやるわけではありません。あるものは利用しますが、**波は自然に起きるのではなくて、自分で起こせば起きるということです。同時にいい波が来るときまでしっかり足腰を鍛えておくから、波が来たときに最高の状態で乗れるのだということなのだと思います。**

だから会社も、もちろん運よくいろいろなことがあってうまくいけばいいけれど、どんな逆境でもうまく乗り越えるぞという意思、それがスタート地点です。腹をくくるということなの

かもしれません。

ねばり強く三年がんばる覚悟で

私の経験では、**正しいやり方、つまり経営をしっかり学んで、メンターがいて、無謀な出費をしないという方法でやっても、順調になるまでには三年ぐらいはかかります。**一からつくったものが少しずつ回り出してくるのは二年目くらいで、三年目ぐらいになると、不思議なことに、今までつくってきたものと、まじめにやってきた信用で、いきなり人がどっと押し寄せるんです。それは突然にやってくる。本当にそんな感じです。だから三年目になってやっと、確かな手ごたえが感じられる状態になったんです。それまでは事業それぞれの水道を整備していて、水もちょろちょろとしか流れないような感じでしたが、三年目ぐらいになったら、結構な勢いで流れてくるようになって、相乗効果が生まれてきたんです。そうすると、スタッフもモチベーションが上がり元気になります。忙しいけど元気で前向きな忙しさです。だからあなたも、三年ぐらいは何があってもめげないで、やはりがんばってやってみてください。三年以上長くやってやっと花開く人もいるんですから、急がず焦らず歩いていってもらいたいんです。

今の世の中、即効ばかりが歓迎されて、ダイエット食品でもすぐにやせるものとか、お米でも、すぐチンってすればいいとか、過程の面白さ、プロセスの奥ゆかしさみたいなものを感じるシーンってないですね。やはり事業とは手づくりだから、感じる楽しさがあると思うんです。まじめにやっていれば、あるとき、必ず報われる日が来ます。それも、がっと一気に来るはずです。筋トレだって、ちゃんとやっていても、三カ月後からようやく効果が出てくるのと同じです。じっくりコツコツやっているうちに、ある日突然、しっかりはっきりその成果が表れるのです。腐らず、きれいな心を持って、真剣に正しい方向に進んで、方法が間違っていなければ大丈夫。自分を信じることです。よくあるのは利益率を間違ったとか、思ったより甘かったとか、そういうことでしょうけど、自己満足とか思い込みではなく、正しい方法でやっていれば、絶対〝その日〟は来るんです。やはり波乗りと一緒で、なかなか波が来ないときに一生懸命サーフィンをやっていてもうまくいかないけど、波が来た瞬間、それに乗れる力をつけておかないと、波が来てから運動しても、心臓麻痺になってしまいます。会社と自分と、両方の体力をつけておきましょう。

本当は目標というのは厳しく立てたほうが早いから、一年くらいにしたいところです。でも急いで結論を出さないということです。たとえばレストランだって、その場所に根づくまで何

年もかかるといいますよね。引っ越した先のご近所づき合いだって、親しくなるには何年もかかります。それは仕方がありません。時がつくり上げてくれる信頼の蓄積だからです。それと同じように、会社の信頼というのも、やはり何年もかかるのは当然です。だから、安易に手を広げ過ぎたり、安易にすぐにやめたりしないほうがいいんです。作ってきたものがもったいないというのもありますし、あんまり右往左往すると信用をなくします。あれやめた、これやめた、とならずにじっくり取り組みましょう。

小さな組織だから、最後まで徹底的に

仕事を徹底的にやる大切さを、意外と皆さん知らないようなんです。言葉では知っていても本当にそれをやったことがない。トレンダーズの社員の女性も、うちに来るまでは、そこそこやればそれですんなり通っていたんでしょう。そこそこ結果も出して優秀なほうだったんだと思いますけれど、でもそれは大きな組織の話です。

トレンダーズのような小さな組織では、そこそこでやめたら、会社がすぐにガタついてしまいます。やはりネジ一個一個をキュッキュッと締めるようにして、点検、指さし確認が大事で

す。食らいついてでも最後までやるということも、小さい会社だからこそ必要になります。

徹底的にやるくせがついていないのは、大きな組織の中の一員だった人に見られがちな傾向です。やはり最初のすり込みって、結構大きいと思います。ここから先は、誰かがやる。最後は誰かが仕上げるという役割分担でしか動いていなかったとすれば、仕事の工程をすべて見るチャンスがないんです。もし、見たい、経験したいと言ったところで、組織内のあつれきがあって難しいのかもしれません。

だから、**起業を目指すなら一期通観の仕事ができる環境に転職するのはいいことです。ベンチャーっていうのは、そういう意味でも最適です。**会社が急成長していく状態を目の当たりにできるので、どうやって組織が大きくなるのか、自分が会社をやる前にイメージができます。そして、仕事の守備範囲は広い。最初から最後まで自分がしっかりやらないと、全部自分にかぶってくるっていうのは、いい意味で緊張感もあります。

トレンダーズは今、男性社員がいないんです。やはり採用した人が力になるまでは、ある程度の猶予期間が必要なのですが、会社が小さければ小さいほど、即戦力が求められます。猶予期間というのは短くなければいけないのです。男性って、人材として見るとわりとスロースターターなので、猶予期間が短か過ぎたんだろうと思います。やはり女性のほうが、ダッシュは

得意です。それが持続するかどうかはわからないけれども、優秀な人材はガス抜きさせながらやっていって、持続を図ろうと思っています。こういった男女の特性を経営者が把握しておくと、小さな会社に向いたスタッフ構成がわかってくると思います。

事業展開……会社はあなたと共に成長します

自分の事業を幾つかやっていくと、もう少し大きいことがやりたいなと思うようになってくるんです。新米経営者の頃はできなかったけれど、今だったら勝ちの手法みたいなのを幾つか持っているから、自分の身の丈に合った程度の、もう少し大きなことに挑戦できると考えられるようになっています。

その勝ちの手法だけを盗めば、一足飛びに何の努力もなしに勝てるなと思っている人もいるでしょう。でもそんなことはできません。人間は自分の体験でしか自信を積み重ねられない。自分で作った小さな成功があって、次のステップがある。**他人の階段は上がれないから、自分の階段を一番下から一段ずつ上るしかないんです**。そう肝に銘じてください。

会社のステージを一段上げる

会社を堅実に経営し、安定させることは、第一段階の目標になるでしょう。それを十分にクリアしたときに、次のステージが待っています。私にも、ステージアップの必要性を感じた経験が幾度かあります。会社が踊り場にきているなと感じました。ちょうど自分の出産のために一時期、しばらく会社を休んでいたんですが、それぞれの事業部の売り上げがまあまあいいレベルになっていたことが幸いでした。ユニークなサービスということもあり、お客様も途絶えないで、スタッフの各自が責任を持って、私が全然会社に来られなかったときでも、ちゃんと会社が回って、私の分の給料もちゃんと出せたのです。

だから、ここで、もうワンステージ上げる時期が来たと感じました。そのままでも二〜三年は維持できるとは思いましたが、拡大の種をまいていなければそのままです。会社は常に新鮮で活気がなくてはいけません。その活気に人が集まってくるからです。だからこそ、今のステージから上がらなくてはと思ったんです。

会社を拡大するときというのは、小さいコップが満ちたから次のコップにして、そのコップ

が満ちたからというやり方でいいと私は思っているんです。そこで、ちょっと無理をして会社の引っ越しをすることにしました。今までのオフィスが狭かったということもありますが、それまでよりもかなり大きなオフィスに移りました。そして、内装も綺麗にデザインしました。もしかしたらちょっと背伸びをしていると感じても、その器にあう会社にしていけばいいのだと思いました。多分すぐにそれに合うようになっていくだろうなと予測できるんです。むしろ、そういうことを見込みながら、先に先にやっていくのが会社を継続的に成長させることなのだと思います。

唐突すぎる展開は危険

全体のトーンを必然性をもって統一させる。そういうバランス感覚が相乗効果をもたらす場合があると思います。たとえば、楽天の最初の事業はインターネットモールにテナントを募るものでしたが、楽天市場を始めて、楽天トラベル、楽天ブックス、楽天ゴルフと展開していく。それぞれは似ているように見えます。それでOKで、基本コンセプトを共通の土台に使ってシナジー効果を上げていく、それが大事なことです。

トレンダーズの事業展開も、必然性と関連性があって、唐突ではない、統一されたイメージのものを心がけてきました。トレンダーズの事業展開を考える上で、**私が一番選びたくないのは、「とにかく儲かるからやる」というスタンスです。**バランス、という感覚を事業展開においても大切にしたいのは、やはり何かとってつけたようなことというのは結局失敗する確率が高いような気がするからです。儲かるという基準だけでやっても、客層も違うし、イメージも違う、それが微妙な不安定感になっていって、みたいな感じです。

私の事業展開のイメージは、テーブルの脚を一本ずつ増やしていくようなもので、自然の流れの中で今ある事業を補完するものならいいですね。遠いと大変だから、今のものを補完してさらに補完して、と繰り返してつくっていったものによって、ますます安定感を増すものだと思っているんです。だから、変な場所からにょきっと何かが一本出ていても、妙な違和感があるでしょう？　その会社のイメージに合わせて展開を図るほうがいいんです。儲かるからとか、思いつきで節操なく新規の事業展開をやるのはやめたほうがいいと思います。

目指すのは一〇〇でなく、一一〇です

自分に自信がないのは、これをやったぞ、という実績がないのもひとつの理由かもしれません。だから、小さくてもいいから実績を積み上げることが大切です。その人の自信になるようなことって、結構くだらないことでもいっぱいあるでしょう。ホノルルマラソンで完走したから自分は強くなった気がするとか、そういうことでもいいんです。

普通、人は、九五%ぐらいで、私はよくやったと思って諦めてしまう人が多い気がします。でも器を大きくしていくためには、必ず一一〇までやらないと次のステージに行けないんです。そこの違いは、ほんの少しに見えますが、その差は大きいのです。この薄皮ほどの違いが、人生を分けてしまうのです。〇・九五って、掛け算をしても、絶対一以上にはなりません。掛ければ掛けるほど、どんどん減ってすぐ半分になる。でも一・一は、八回掛けたらもう二倍以上なんです。多分その違いだと思います。

結局、私が言いたいのは、最後の一押しの詰めができるかどうかです。決して〇・九五でやめないで、一・一まで毎回やるという繰り返しができるかどうか。

どこからが一以上かわかりません、と言うかもしれませんが、実は私だって一つ一つに明確な線引きはないんです。だから私が考える基準は、周りの人が驚くくらい。「そこまでやるとは思わなかった！」というところまでです。**難しく考えるより、どんどん進めて、そこまでやるの？　と聞き直されるくらいのところまでやれば確実です。**

よくスタッフの持ってくる提案書を見て、私は必ず、この企画書は何点？　と聞くんです。そうするとみんな七〇点、くらいに答えるんですが、七〇点だったら持ってこないで、一〇〇点のものを持ってきてよって言います。みんなわかっているんです、これは何点ぐらいかということも、工夫がないかなっていうことも。でも、こういう前向きなディスカッションは楽しいから、どんどんやりたいんです。ただ、一〇〇点を取るためのごまかしはダメです。七〇点をいかにも一〇〇点に見せようとはしないでね、あと三〇点を一緒に考えよう。いつもそんなことをスタッフと話しています。

第一二章 事業は生き物

事業は生き物ですから、時には思いがけない不調が訪れるかもしれません。トレンダーズも創業時からいきなり調子が良かったわけではありません。少しずつ上向いていったというのが現実です。良かったものが下がるという経験は幸いまだありませんが、それでも経営者としては、そういった事態への心構えはあったほうがいいでしょうし、そういう兆候を感じたら防がなければなりません。

社長の気持ちは感染する

たとえば、**トレンダーズくらいの規模の会社だと、社長の調子が悪いと、不思議と会社の調子が悪くなるんです。その伝わり方は実にヴィヴィッドです。だから私は体調が悪いときはあまり会社に近寄らないようにして、伝染しないようにしているくらいです。**社長が落ち込んでいるときにそのままの顔で会社に来れば、みんなもやる気がなくなってしまうのではと思います。

人間も会社も、やはり最低限のレベルを常に保つことです。そのための訓練は必要です。思考のチェンジだったり、気分転換につながる何らかの儀式みたいなものとか、自分なりの処方箋をもっていると楽です。大げさなことではなくて、たとえば、**私の場合いらいらしてきたらスポーツクラブに行ってすっきりするんです。そういう自分なりの対処法みたいなものをちゃんと用意しておけば安心です。立場上、調子が悪いから、とは口が裂けても言えないし。**特に会社にはお客様もいるわけです。だから、最低限のレベルを常にあげておくべきです。大体調子が悪いというのは、感情の乱れ、心の乱れから起こると思っているんです。だから、それを

整えておくということが、〝最低限〟という意味です。たとえば肌が荒れるのは食生活が悪いということだとしますよね。でも、食生活が悪いのは、もしかしたら心のバランスが取れていないから偏った食事ばかりしてしまうのではないかとか、三食ちゃんと食べられない理由があるのではないかとか。リズムとか根源的な何かがずれているから、表層がずれるのです。だから、調子が悪いということは何らかの心の中の乱れのサインだから、基本的に常に心を強く保てるようにトレーニングするのと同時に、もしそうなったときの心の切り替えを早くさっとできるようにしないと、いつまでも引きずってしまい、仕事への影響が大きくなるので気をつけています。

値段を下げるのは最後の最後

中小企業にとって、価格を維持することは会社の生命線です。価格を維持するためにはお互い気持ちよく仕事をすること、付加価値の高い仕事をすることが大切です。つまり、商品プラス商品提案力が求められます。価値を高めるということは希少性を高めることになりますから、あまりお客様に合わせすぎて無理やりやったりしてはいけないと思います。特に一億円規模の

会社で、オンリーワンで、社員が少ないのであれば、逆にお客様を厳選していくということもすごく大事なのではないかなというふうに思っているんですね。自分がお客様を選ぶという姿勢です。

そういう言い方をすると尊大に聞こえますが、そういうことではないんです。たとえば異常に値段の安さばかりにこだわるお客様の場合、そのお客様にとっては安いことだけが価値ですから、付加価値をどんなに強調してもお互いハッピーにはなれないんです。私は、どんな場合でも、**自社にとっていいお客様といい仕事をしたいという気持ちは絶対大事だと思います**。理不尽なことを言ってくるお客様は、やはり社内体制が理不尽でその担当の方自身がストレスの塊みたいになっていることもあります。そういうお客様に出会わないためにも、また、そういうお客様とはおつき合いしたくないのであれば、自分がいい会社でないとやはりダメなんですよね。**お客様のレベルで会社のレベルがわかると話される社長さんもいます**。**だから、会社の倫理観は常に高く持ちたいと思っています**。そして、自社がおつき合いしているお客様とか、発注先とはいいパートナーシップを保っていこうと意識しています。仕事を頼んでいるから上だとか、もらっているから下だというのではなくて、お互い信頼し合って仕事ができないとやはりダメだと思います。こういった精神があると、やみくもに過当競争に巻き込まれることもありません。

リクルートのときに、「値段を下げるのはおまえのプライドを下げているのと一緒だ」と言われて、確かにそうだなと思ったんです。「安ければ誰でも売れるんだ」と。高いということは、お客様にとってもそれだけ価値のあるものにしなくてはいけませんから、商品力だけではなくて、どれだけプラスアルファがあるのかというのも、大事なポイントなんだなと気がついたんです。もちろん商品力がずば抜けているほうが誰でも売れるから、それが一番いいのですが。

競合会社に対する考え方

後発の会社が競合として参入してくるとき、ほとんどの場合、みんな先発企業よりも商品価格を安くして参入してきます。でも私はそれに対抗して価格を安くするつもりはまったくないんです。いつも思っているのは、やはり集積のメリットです。つまり先にやった分だけ蓄えられたものをどれだけ大事にしているかどうか、お客様にフィードバックして共有できているかどうか、ということなんです。

女性起業塾のビジネスは私の会社が一番最初にやっているから、卒業生の数は一番多い。では、それをどううまくフィードバックし、価値を高めていけばいいか。卒業生やこれから入る人にとってどういう価値を表現していけばいいか、ということを考えて、常にいろいろなことをいじっているんです。次のステップとして卒業生が、在校生を指導するメンター制度を入れてみようとか、新しいコース分けをしてみようとか、何かコミュニティーのようなものを作ってみようとか、やはり時代の流れに合わせて、少しずつ変えていくということが大事です。こうして、**サービス自体が成長していくから、それが競合差別化になるのです。そんなに疾走しなくてもいいから、確実に進歩しているということが大事なんだと思います。**注入したエネルギー分は、ちゃんと残っていっているから、たゆまずおごらず、きちんとやっていれば、このくらいの規模のビジネスだったらそんなに簡単にひっくり返されることはないんではないかなと思います。

ただ、そのとき押さえるべきツボは、やはり忘れてはいけません。女性起業塾だったら、講義内容がいいとか講師がいいとか、いろいろとあると思いますが、**本当に押さえるべきツボは、卒業生が成功しているということだと思います。**そこをきちんと押さえて成果を出して、たゆまずやっていくということです。

迎え撃つ備えがあれば

経営者として、事業の見通しは少なくとも数年先まで持つべきでしょう。しかし今の時代は移り変わりが早いです。五年、一〇年となったら、あまり確信が持てなくても仕方がありません。私の場合はどうしているかというと、一〇年なんていう長期的な計画は立てていません。どうありたいかというイメージは常にありますが、**事業計画は、世の中の動きを見ながら調整していくスタイルをとっています。**逆に半年先に起こり得ることだったら、かなり細かい点まで予想がつきます。今のお客様の動きとか、受注の状況、スタッフの疲労度合いなどを観察して、今後数カ月はこうなるな、とか、ここを緩めないとダメだとか。普段から社内の状況をよく見てわかっているので、そういう細部のコントロールができるのだと思います。**大量の社員をかかえる大企業と違って、スタッフ一〇人以下の組織ならそのサイズに適した舵取り方法があって当然です。**大企業は小回りがきかないから長期計画を立てます。大企業の経営者が一〇年、二〇年先まできちんと計画を作りこんでいるからといって、自分も同じようにしなくては、と焦らなくてもいいのです。

私にできるのは、**遠い将来自分の会社で何が起きるのかという予測ではなくて、むしろ何が来ても迎え撃つ備えを十分にすることです。**トレンダーズは優秀なスタッフががっちり結束してがんばってくれています。経営者である私は間違いのない舵取りをしなければならないし、何が起きようときちんと責任を取る姿勢を持っています。だからスタッフは安心して動けるんだと思います。今までいろんなことがあったときでもそうやって乗り越えてきたし、これからも力を合わせてできる気がします。

信頼できるスタッフからは反対意見が出ることもあります。**私は反対意見も歓迎の姿勢を保っています。**具体的な意見を聞いたりするのはうれしいんです。**自分と違う意見が出るということは、三つ目の可能性がある、と考えているからです。**私の意見かスタッフの意見か二者択一、ということではないのです。私と参謀の意見のどっちもウソはないわけですから、そのいい部分を組み合わせたら、三つ目の選択肢ができます。それが多分最高の状態だと思います。

私は神様のようにあがめられるような社長ではなく、スタッフから支えられ、話し合いながら仕事をしていく社長です。だからいい刺激を受けたくて、いつも真剣にディスカッションしたいと思っているんです。トレンダーズという会社に集まってきているスタッフは、みんな迷いながらも成長したいという気持ちがあってここに集まってきたと思うんですけど、私の経営方針や生き方に、「そういうのがいい」と共感している人たちでもあります。お客様をすごく

大事にしたいとか、ほかではやっていないようなことを手がけて世の中の役に立ちたいとか、トレンダーズはそこを真剣にやっていますし、スタッフもそういうことに共感している。だから、自分ができる限りがんばりたいと思っている人たちの集まりなんです。

人が辞めるとき

私は過去に二回、とても辛い思いをしています。スタッフが一度に辞めたことが二回ぐらいあったんです。設立当初と、会社が第二ステージに変化しようとしていたときでした。一人しか残らなかったこともあるし、半分以上入れ替わったこともありました。そのときはもちろん私自身も未熟だったし、いろいろ問題はありましたが、結局、どこか、自分もこのままではおかしいと思っていたのが向こう側に多分伝わって、破綻した部分があると思います。でも不思議なことに、人が入れ替わるとそのたびごとに業績がすごく上がるんです。

スタッフがたくさん辞めることは、会社にとってはマイナスポイントだから、あの会社大丈夫だろうか、と言われたりするんですけれど、事業やサービスがしっかりしていれば、新しい人が入ってきて新風が吹き込まれることによって、それがいい方向に向かっていったんです。

私も経営者として、前よりも少し成長しているから、その次に入ってきた人への伝え方も、前に比べれば上手になっていますし、前の失敗もわかっているから、それを踏まえた上で新しい仕組みにできる。それはやはりチャンスなんです。人が入れ替わったときは、仕組みを変えるチャンスと思えば、その痛みもバネに変えられると思います。

もちろんみんなが一緒に長く成長していったほうが一番いいとは思うんですが、辞めてしまったことは仕方がありません。でもそういう何かピンチの時こそ実はチャンスだなんて、本当にベタな言い方なんですけど、そういうことは実際、幾度となくありました。

人が辞める理由は一つしかないと思っています。会社についてこれないんです。それは、スピードと経営者の思考についてこれないというのがあると思いますが、**変化を理解しきれない、受け入れられないままギャップが生まれる、お互いの目指しているものが違ってくるという「ギャップ」がほとんどの原因だと思います**。人が辞めない会社がペースが緩いということではもちろんないんですけれども、自分と会社の方向性にギャップが出てきて辞めてしまう。成長している会社というのは、年間三割の人材が入れ替わっているというデータがあると聞いています。

それは結構正しいと思っています。人の成長の早さは人それぞれで、生きてきた環境も違う

し、前職で経験していたスピードによっても違うから、起こりうることです。

経営者の思考回路は早いですから、きちんと理解してキャッチアップしていかないといつしか宇宙人と会話しているようになってしまうのです。成長の早いベンチャーは人がどんどん入れ替わるものだと、ある程度そのように考えておいてもいいのではないかと思っています。スタッフについては、会社にその人がいることで、要はプラスかマイナスかということです。マイナスと最初思っていても、だんだん良くなることもあります。どれぐらいの猶予を持って考えるかというと、私の場合大体最初の三カ月がまず一つの目安です。三カ月間見て、その人が会社に合うかどうかをみます。そして、三カ月で結果が出なければ、もうちょっと猶予を延ばしてあげて結果を出せるかどうかみます。まずは、その前にもう少し猶予を延ばしても大丈夫な人とそうでない人に分けてみています。五人の社員のうち、三人がマイナスとします。猶予の期間が続くと全体的に会社の数字も下がっていきますよね。プラスで引き上げる人の数のほうが少ないのですから。まして会社に余裕がないとなると、数字は目に見えて落ちてしまいます。業務のスピードが速ければ、ついてこられる人ももちろん少なくなります。よくあるケースは、**会社の方向性はこうだと明確に言うと、「違うな」と思う人は去っていくんですね。私としては自分が否定されたような気持ちにはなりますから、いつも辛かったんです。でも、私はそのときにこう考えるようにしました。経沢香保子というトレンダーズの社長と、個人の経**

沢香保子は違うと。こう分けてしまったら、こっちは社長という役割だからしょうがないのだし、そういう痛みを吸収して大きくなれるんです。中途半端にだらだらと続けなくて逆によかったと思います。会社は長く続いていくものですから、相性があわなかったらいつまでもずるずる関係を続けていても意味がないのです。もちろん、心はそのたびに傷つきましたけれど、そのたび、もっと新しく、いいことがあったので、私にとっては全部プラスに変わっていると思っています。

経営者の孤独や悩みを解決しましょう

経営者は多くの人に囲まれて、一見孤独になんか見えないものです。でも同じ立場の人が少ないために、密かに悩みを抱えている経営者も多いのです。まして女性経営者となれば、同じ立場の人は激減します。でも誰にも相談できない、というわけではありません。あなたはまだそういう人に出会っていないだけではありませんか？　女性起業家のあなたを心から応援してくれる、心の師となれる人は結構多いのです。しかしメンターの名乗りを上げる人がすべて本物とは限りません。むしろ偽物が多いことが問題です。ここでは女性のあなたが回り道をしな

いように、メンターの選び方のポイントもお話ししましょう。

メンター探しと注意点

私は、人間の成長段階のことを考えると、幼稚園の先生がもっとも人格者でなければならないという持論があるんですが、新米の起業家にも同じようなことが言えます。何も知らない初心者だからこそ、正しい情報、いいアドバイスをしてくれる人が必要です。心の師となり、さらに身近で役立つアドバイスをしてくれるような人を、メンターと言います。起業したときに、メンターがいるのといないのではまったく違います。最初は本当に遠回りになろうと思えばいくらでも遠回りになります。最初の出足が悪いと、だいたい皆あきらめてしまって、一年目につぶれる多くの会社のひとつになってしまうんです。だから、最初の方向性、最初の考え方をしっかり作り上げてください。

ただし、メンターと名乗る人にはインチキな人が結構いるのです。世の中には、経営コンサルタントの肩書を名乗る人たちがたくさんいますが、そういう人の多くは実業を持っていない

わけです。自分がちゃんと経営をやりたかったら、あやしい経営コンサルタントではなく、実業を持った経営者にアドバイスを受けるべきなんです。でなければ、歩むべき道がギザギザになってしまうと思います。

私の起業したての頃は、ビットバレーがとても有名で、いろんな若い男性の社長さんたちがいたんです。それでいろいろな人が親切に応援してくれるのはいいんですが、やはり好き勝手にいろんなことを私に言うんです。ああしたほうがいいとか、こうしたほうがいいとか、株は誰それに引き受けてもらったほうがいいとか。

でも**私は全部言うことを聞かなかったんです。全部逆をやったんです。全部自分で仕切って、人・資本を入れない。事業パートナーを持たずに、自分一人でやる。採用する人は経験ではなくポテンシャルが高くて優秀な人で、自分より年下で、アルバイトで大学生がいいとか。そのほうが自分の好きなようにできると思っていました。**誰かに相談する以前に、まず自分のことをよく知っておく必要があります。でなければ他人のアドバイスに振り回されてしまう危険性があります。

アドバイザーはそういう点で、最初から自分のことをよく知っている人がいいんです。「あなたはこういう人なんだから、それはこのほうがいいんじゃない？」というアドバイスも、そ

の人をよく知ってのことです。むやみにいろいろアドバイスしてくる人のことはあまり信じないほうがいいんです。聞いたら答えてくれるくらいの関係で十分だと思います。

当時、ビットバレーで知り合った若い起業家の方々は、結局ブームが去ったらほとんどが消えてしまったんです。その後どうしているんだろうとずっと思っていたんですが、姿が見えなくなりました。そういう人はたくさんいます。事業が時流に乗っていれば、瞬間的にお金を集められたり、瞬間的に代表の肩書を持つこともできます。でも波が引けばもちろん下火になります。瞬間で得たものは瞬間で失うものなんです。


だから、**アドバイスしてくれる相手は本当に尊敬できて、実績がある人、そして、自分に不足している部分を補ってくれる人がいいと思います。**

女性起業塾に来た人が、「よかった」と言ってくれるのは、いろいろな経営のパターンが見られるということです。たくさんある経営のパターンの中で、自分はこのパターンだなというのがわかるからいいと言ってくれます。そういった環境に自分がいないために、起業とか経営のイメージが全然わかないと、他人の言っていることが本当かどうかが見破れないんです。人を見きわめる目。それが最初の一歩です。

成功のコツは、たくさんの応援を得ること

うまく成功している人は、結局一人では大きなことはできないとわかっている人です。だから、たくさんの人に応援されているということの大切さを知っています。では、どうやったら応援される人になれるのでしょうか。

それには何段階かあります。まず**最初の段階は、必死でやっている人は応援を受けやすいということです。**いかにも応援されたい素振りで、周りばかり見ている人のことは誰も応援してくれなくて、わき目も振らず一心不乱で真剣にやっている人には応援の手をさしのべてくれるものだと思います。雨の中で段ボールの中にいるワンちゃんが必死に生き延びようとしているみたいな姿、そんな必死さをまずは買っていただくんです。

その次は、ある程度そういう必死さが認められてきたら、そうやって応援してくれる人たちのおかげで、その必死さを形にしていって、だんだん次の自分の土台ができるんです。

そうやって起業する人を応援したがる人は、必ず世の中にいます。そういう人たちが、多分、最初の頃のお客様になってくれると思います。

だんだんクオリティーが整ってきたら、次に考えることは、その分野で一番を目指すことなんです。会社が成長したとき、その結果を見て応援者の人たちはすごく喜んでくださるものだし、その応援団プラス、そのノウハウや実績をほしいと思う次なる応援者の枠に広がっていきます。最初は親類縁者のような、半径五メートルの近しい応援者だけです。それで、自分がその人たちのおかげで、ある程度の枠を取れたら、もう一つ枠を拡大していくんです。次は、そういう情報が今までほしかったというような応援者が集まってきますので、今度はその人たちに買っていただくことによって、その中で、業界ナンバーワンを目指しながらどんどん上がっていけます。

次の段階ですが、今度はそれをもとに業務提携したい、という応援者が現れるでしょう。この辺からは、利害関係も含まれるビジネス寄りの応援者です。最初はどちらかといえば家族的愛情からなる応援者がほとんどですが、だんだんビジネス寄りの応援者も増えていくものです。この流れにちゃんとついていけるためにも、自分の背を伸ばしていって、そのとき、そのときに現れる応援者の人たちからきちんと支援していただけるように、先回りしてがんばっておくことです。応援されるからがんばるというよりは、先にちゃんとがんばっておくことでより好意的な応援を得られるものです。

だから、お客様でもそうなんですが、新規営業というのは、買ってくれ買ってくれという営業になってはダメなんです。この人のものを買ってあげなきゃ、と思わせる〝感情の醸成〟というのが、事前にあるわけです。つまり応援してくれる人というのは、その前の何かがあるから応援してくれる。そういうことを考えたら、先に、先に走って行ってその人たちを待つくらいに、必死にがんばる。そして次は、クオリティーを上げるようにがんばる。その業界の中で一番になるようにがんばる。その次は社会的な意義を達成するためにがんばる。そうやってがんばる内容が変わっていったとしても、常に必死である、きちんと仕事をしていることがとても大事なんです。つまり、本当に多くの人が、いろんな形で応援してくれるんです。

必死とボロボロの差とは

必死とは、決してボロボロになるという意味ではないんです。私ももちろんこれまで必死でやってきましたが、幸いボロボロではないと思います。では必死とボロボロの違いはどこにあるのでしょうか。

起業したのはいいけれどボロボロになってしまった人というのは、たぶん、自分が満たされ

てないのではと思います。私はこんなに必死なのに、皆何でわかってくれないの、どうしてうまくいかないの、という人は、いわゆる〝循環〟がうまくいっていない状態にあるわけで、健全ではないんですね。だからうまくいかないのがますます相手のせいになっていって、イライラ感が出てくるんです。そういう時には、仕事のサイクルを見直してみましょう。人って見返りのないことには飽きて疲れてしまうんです。女の人は真面目だから、サイクルを見直すことを忘れて、とにかく継続することだけが目的になってしまって、そしてカスカス感がどんどん強くなっていく。これではいつまでたっても満たされない状態が続いてしまいます。やはり、自分が一生懸命やったことが世の中に響いて、それがちゃんと相手に満足されて、見返りが自分に戻ってくるというサイクルができない限りむなしい空回りの連続です。たぶん、必死でやっていてカスカスな人というのは、自分はいいと思っているのに、相手はいいと思っていないという場合が多いと思います。

相手はわかってくれないといって相手のせいにするのではなくて、相手が喜んでくれない理由を考えて、ちゃんと喜んでもらえる形に転換しないと、いつも疲れてイライラして、自分のためになりません。

やはり人って、「すごく役に立ったよ、ありがとう」って言われれば、その言葉に満たされたり、たくさん入金があると、満たされたりするものです。**自分を前に押してくれるものは、**

やはりうれしい見返り。これ以上のものはありません。今やっていることのサイクルを見直してみると、見えていなかったことがきっと見えます。自分がこれだけ動いたから、これだけのレバレッジがきいたんだなとか、一やったのが、ちゃんと二になるという仕組みが確立されていれば、やり続けることの意味も見出せる。だから着々と継続してやっていけるんです。

第一三章 女性起業塾について

一九八〇年代に起きた米国の不況は、たくさんの女性が起業したことによって救われたという話があります。女性が起業することによって、その周辺の事業、つまり家事代行や保育などさまざまな種類の関連産業までもが活発化し、国の経済を活性化したのです。さて、ここ日本では、女性の起業という考え自体まだ特殊な部類で、国を救うどころではありませんが、それでも、新しい女性の生き方、職業の選択肢として、起業という気運が確実に高まってきています。女性起業塾は、二〇〇一年一〇月から開講された日本で初めての女性のための起業塾で、起業を目指す皆さんに具体的なノウハウ、本当に役立つ情報を提供しています。

知識、知恵、そして仲間

女性起業塾の生徒さんは皆、世の中や、何かの役に立つ確かな何かを探しているんです。もちろんちゃんと稼ぎたいという希望はあるけれど、授業を受けていく中で経営というものは小手先だけでは限界があると気づいてくるんです。差別化にしても、それは自分の考える方向からの差別化ではなくて、お客様の思う差別化にたどりつかないといけないとか、そういうことを考えながら、事業を一歩一歩確認してもらう形で進めています。**もちろん、できるだけ最短でうまくいく具体的な経験に基づく事例もお話ししますが、付け焼き刃の儲かる方法を教えるだけということは一切やっていません。もっと深いビジネスの知識、知恵です。**皆さんには、「経営者の脳になってください」といっています。それは、そういった根本をきっちりすることが結局は会社の基盤を強くするからです。それと同時に、**同じ志を持つ多くの仲間と先輩との出会いを提供しています。**

とにかく、一歩ずつ確実に、がモットーです。ノウハウだけに終始すると、いきなり急成長するかもしれませんが、落ちるのもいきなりです。本当に急に落ちますから、そういう短期の

成果に心を砕くよりも、堅実に、丁寧に続けていくということが大事なんです。

こういう時代に起業するからこそ、地道で堅実、まっとうなビジネスしか生き残れないと思うのです。女性の皆さんならそれができます。やはり世の中の役に立つようなことを、ちゃんと戦略を考えてやっていく。遠回りに聞こえるけれど、それが一番早いし近いのです。お金より先に考えることは、社会や人のためであり、自分のためでもあるということです。でもあまりにも犠牲になって、人のためだけに生きるのも問題でしょうが、基本を、人のためにというポリシーで統一してやっていれば、いずれは評価され、必然的に売り上げとなってちゃんと返ってくるのです。すると自分も満たされて、いつも笑顔でいられるから周りの人が幸せになれる。そういう状態をつくっていくと、そういう人たちが周りに集まってくるのがまた不思議な現象です。塾にはだいたいそういう人ばかり来るんです。

通算二五〇〇回のアドバイスをしてきて

運動神経がいい人に、何で運動神経がいいんですか？　と聞いても、多分本人にはわからないし、答えられないでしょう。それと同じように、経営者で成功した人に、何で成功したんで

すかと聞いたところで、「がんばったからですよ」とか、「支えられたからです」というように、簡単な答えしか返ってこないはずです。成功の理由については、それほどしっかり分析したことがない方もたくさんいらっしゃるのだと思います。だから「成功する経営の秘訣」のような、私たちが本当に知りたい質問には、誰もが筋道を立てて答えられないんです。

それではどうして私が皆さんにその答えを教えられるのでしょうか。やはり、たくさんの事例を見てきたからです。女性起業塾というのをやってきて、五〇〇人の起業したい女性と向き合ってきました。その人たちというのは一期で五回通っていただいていますから、合計延べ二五〇〇人です。塾ではその人たちに、毎回一人一回ずつアドバイスしますから、これまで二五〇〇回のアドバイスをしてきたことになります。だから、大体のパターンがわかっています。単なる抽象的な励ましとか掛け声で、がんばればいいとか、そういうことはやっていません。どうがんばればいいかがわからないと、そのがんばりを別のところに使ってしまうかもしれない。そうなれば時間もお金もムダになるし、エネルギーがもったいないでしょう。

女性の皆さんは、そういうふうに試行錯誤している時間はあまりないんです。寿命では男性をしのいでいますが、女性が身も心も仕事に没頭できる時期って、結構短いものなんです。もちろんがんばってがんばって、五年目に花開いてもいいと思いますが、いい方法が見つかって、

近道ができて一年で目指すところにたどり着いたら、私はそのほうがいいと思います。残りの四年でもっといろんなことができるのですから。

塾を卒業した人たちは今

今、女性起業塾は、五〇〇人の卒業生がいます。そのうち、起業しているのは、三割くらいですが、時間が経てば経つほど当時は準備中だった人もどんどん起業していくのでその割合は増えていると思います。卒業した人でも、連絡を取り合って、発注できるところはし合ったり、結構一緒に仕事をしたりしながら、密接にやっています。私も卒業生の会社に、ベビーシッターさんを頼んでいますし、Ｗｅｂ制作だったら、やはり卒業生の会社にアウトソーシングするんです。うちがお客様をとってきても、その人に、うちがディレクションしてあげるとか、そうやって自分の周りの人からどんどんもり立ててるんです。お花屋さんでも、すでに出来上がっている大型店ではなく、発展途上のお花屋さんに発注したりするんです。小さくてもとにかく使ってみて、もっとこうしたほうがいいとか言ってアドバイスしてあげたりして応援しながらつき合う。これからはもう少し出資もしながら、もっとサポートを強化していくつもりです。

それぞれの卒業生には、ちゃんと立派に会社として成功してほしいので、そのために私たちができることは、できるだけやりたいと思っています。

私が女性起業塾の卒業生に期待していることがあります。ただエグゼクティブになっていくだけでなく、**彼女たちに続く女性たちの目標とされるようなロールモデルになってもらいたいのです。素敵な女性が会社の幹部とか社長として活躍していれば、後続する女性たちも、仕事と家庭を両立させていることに安心感と憧れを持つでしょうし、そういった人たちが企業の中で活躍すれば、企業も女性をもっと登用するでしょうから、ある程度会社の流れも変えられる、ひいては日本全体の流れも変えられるのではないかと思っています。**

私は本当は売り上げ金額より何より、その本人が輝けるかどうか、ということを優先して考えたいんです。その人にとって、身の丈にあった形で、自分が輝いていられるかが大事で、その人の人生全体がどんどん上がっていくような、そういうロールモデルになる女の人をたくさんつくりたいなと思うんです。たぶんそうなるときっと会社の売り上げも安定してくるのだと思いますが、同時に、後に続く女性が、ああいう生き方もあるんだとみんなが憧れるような、輝く人の見本のような、そんな人たちがいっぱい生まれればいいなと思っています。

もし短期で一〇〇人、女性起業塾からそういう核になる人が生まれたら、それぞれがロール

モデルになって、その人たちがさらに、社長に憧れる人を雇い、影響を与え、どんどん素敵な夢を実現する人たちが増えると、きっと社会は変わると思います。

卒業生がメンターです

女性起業塾では、いまメンター制度を導入しています。たとえば塾の生徒さんが何か質問があったら、メンターの人に聞いていいんです。何かプレゼンしなきゃいけないとか、宿題がたくさんあったりして、わざわざ事務局に聞くのも恥ずかしいけれど、ちょっとした悩みってありますから、そういった人たちの面倒を見る制度です。精神的なちょっとした悩みに答えたり、実際的なノウハウを身近で教えてくれるコーチみたいなことをしてもらっています。この塾を卒業した人が、直接塾生を担当するんです。もちろん自分でやりたいと言った人たちの中からですから、教えることに熱心な人ばかりです。

メンターはあくまでも、お願いして快諾してくださった方にボランティアとしてやってもらっています。ただそのかわり、私がその人たちのメンターをやってさしあげることになっていますので、その人たちは私に相談事をしてもいいんです。

メンターというと思い出すんですが、リクルート時代に、部長から、日曜日に早く寝ろと言われたんです。そのときはむっとして、でも直接部長にはやはり言えなくて、「何で親でもないのに、そんなふうに言われなきゃいけないんですか」と、教育担当の人に怒って訴えたことがありました。当時は私も若かったからそういう言葉も聞き流せなかったというのもありますが、その教育担当の人がいわばメンターのような人で、部長の言葉の意味を、上手に翻訳してくれたんです。「それは月曜日からちゃんと働くために、そんないつまでも遊んでないで寝ろという、別にそんな強制とかではなくて、君のこと思って言っているんだよ」と。やはりこうやって説明されると、ああそうかなと思うのですが、部長に頭ごなしに言われただけでは、なぜ休みの日の過ごし方までマネジメントされなきゃいけないんですか、とカッとなったりします。だから、メンターなんて不要だと考えるかもしれませんが、こういうくだらないことに人間は案外単純に怒ったり、また逆にすんなり理解できたりするものなので、自分が追いつめられないようにするためにもメンターは重要だと考えています。

卒業生は人の世話ばかりだから、メンターなんて損な役回りでしょうか？　いいえ、メンターを引き受ける方にも、もちろんメリットはあるんです。私が成長してきた理由の一つに、人

に教えてきたからというのが一番大きな要素としてあると思っています。人に伝えたり、人に教えたりすることが、いつも自分の考えとか気持ちを整理し、確立させてきたんです。自分はこう思っているんだということが、自分でもはっきりわかっていないと伝えられないし、こうしたらうまくいくんだということを伝えるためには、自分がそれを確信していなければ伝えられない。だから**メンターになる人は、教えることによって、たぶん半年前の自分と同じ悩みを受け取りながら、自分でそれが消化できているかどうかわかるし、再確認しなくてはいけないこともたぶんたくさん出てくるはずです**。だから、メンターをやりながら、もっともっと大きく成長できるのです。

塾生は二カ月間の目標を立てて、メンターに目標シートを提出します。それがきちんと進んでいるかとか、悩みがあれば、なぜうまくいかないのかメンターが聞いてあげるという、そういう自発的な仕組みなんです。でもこの仕組みのおかげで、塾生は安心感を感じているようですし、メンターにしても卒業後も塾に参加できたり、あとは人に教えることで、とにかく自分を確認する作業にもなるし、自分が人を雇用するときの疑似体験にもなると言ってくださって、何か盛り上がりを感じます。

メンター同士の横のつながりも活性化されています。お互いに情報交換したり、それぞれ悩

みを相談したりとか。塾生の横のつながりはとても大きくて、期を超えてもみんな集まったりしているようなんです。今までは起業したい女性は点在していて、起業の夢を語ってもなかなか関心をもってくれないような環境にいたわけです。でも**女性起業塾では、周りじゅうが、夢を素直に語れる人たちばかりで、これくらい心理的に励まされることはないんです。**

ものごとを成し遂げられない大きな理由の一つに、孤独があります。誰も見ていないところで四〇キロは走れないけど、ホノルルマラソンだったら走れてしまう。人間ってそんなものでしょう。塾はたぶん、そういう役割も果たしていると思います。くじけそうになったとき、あの同期生もがんばっているとか、そうやって自分なりの感覚をつかんで、いい意味でのペースメーカーになっているんです。

第一四章　人生と仕事。全体を充実させましょう

女に生まれてきたのですから、女の人生は男と違うものになるのがむしろ自然で当たり前だと思っています。経営者というイメージはどうしても男性的だから、女である部分を捨てなければならないと思っている人がいるとすれば、そんなことはない、うまくやれば、経営者の部分と女性としての幸せの両方を手に入れられますと伝えたいのです。女性の本質は時代が変わったところでそんなに変わらないと思います。そこをかなぐり捨てて仕事だけという人生は、私にとってバランスが悪そうに思えます。やはり楽しく生きたいから、バランスの良い起業方法を選びました。

昔の女性は、夫のために生きることを美しいとしました。その後、日本の社会が西洋的になり、ウーマンリブが当たり前になって、自分が自分が、みたいな極端な感じになってしまった。でも、やはり女性の本質って、何かをたてたり、周りをもり立てていったり、大地をつくるようなところにあるのではないかと思います。だから、**まるっきり自分を押し殺して全部を相手に迎合するわけではなくて、自分のやりたい方向はこうだなと思うことを示して、一緒にチームとしてやっていく、そういう気持ちが大事なのではないかと思っています。**

一人のずば抜けた才能を持った人が、あれこれとノウハウを言うことももちろん大事ですが、私のように普通で、特技もないけれども仕事がすごく好きで、人を喜ばせるのが好きで、会社の中でそれぞれそのときの役割を一生懸命やっていった結果、自分の会社になった。こんな私だからこそ伝えられることがあると思うのです。このやり方が私にとって自然の流れだったんです。起業を目指す人には、そういう自然の流れをぜひ見つけてもらいたいと思います。自分をうんと売り込まなくては、自分が満たされなければ、というものではなくて、周りの人をうまく巻き込んで、楽しんでやってもらう、やってもらった人たちにも自分が何かお返しして、相手を幸せにするということ。これを女性が上手にできれば、私たちの社会がもっと楽しいものになっていくし、それが女性にとって究極の幸せではないかと思うのです。

他者のためは自分のため

最近思うのは、私の周りの同じ世代の三〇ぐらいの女性たちの何割かは、自分のためだけに生きているように感じることがあります。自分がたくさん稼いで、自分がいい服を着て、楽しくて、投資はもっぱら自分のために投資。そういう人生もいいかもしれませんが、でもそればかりだと、それ以上の想像力や影響力は多分働かなくなるような気がします。

たとえば、子どもを産むということは、ある程度自分の時間を犠牲にしたりしながら、子どものために生きるという部分が出てきます。部下を持つとか、子どもを持つとか、自分以外の誰かのために生きる、人のお世話をするということは、人をとても成長させるものだと思います。そして、人を成長させることで、スパンは長いですが、結局自分に何かがより大きな喜びとして返ってきて、とっても幸せな気持ちになれます。でも今の時代、みんな今と、自分のことだけで精いっぱいという人が多くなっている気がします。自分のことばかり気にしていても、結局自分は満たされていないんです。だからもっともっと自分のために、と徹底的に自己愛に向いていくというスパイラルになっていきます。そういうときは内側ではなくて外側に目を向

けて、人間って何か人のためにやってみると、意外と満たされたりするんです。

うちのスタッフで一人、いつも午前一〇時に来て午後三時に帰る人がいます。将来は起業を目指しているんですが、主婦歴が長いのでウォーミングアップもかねてうちで働いてくれているんです。彼女はブランクが長かったから多少ビジネス的にまだ追いついていない部分もあるけれど、子どもを二人育てたお母さんというのは、やはり人間として違うんです。とても大きい、立派な人格なんです。会社の効率だけを最優先したら、フルタイムで働ける人のほうがいいかもしれないけど、やはり彼女のような人がいることで、社内の雰囲気がすごくよくなるんです。


私は、子どもを持つ前は、会社のことはあくまでも効率を重視していましたから、あまり子どもを持つ親の気持ちなどわからなかったと思います。でも今は子どもがいる人が応募に来たときに、気持ちが大分わかるようになりました。妊娠した人が休んでしまったり遅刻してしまったり、勤務が乱れることがありますが、前はよくわからなかったけど、自分が妊娠して、眠いとか体調が悪いとか本当に辛い、ということがわかりました。

妊娠している人は、会社でなにかと周りの人に迷惑をかけることになるから、その点でも精神的に大変です。でも社会にとってはプラスのことをしているわけです。だから、会社それぞ

れの考え方がこういった立場に関してももう少し寛大になって、全部受け入れられなくても、できる範囲で受け入れていくことは大事なのではないかなと思います。

私自身、以前は本当に強者の論理で生きてきました。でも今は多少違う自分になったと思います。人のためだけに生きよう、というほど立派にはなれていませんが、結局、人にやったことは自分に返ってくることがよくわかりました。自分にやったことは自分の中で循環しているけど、もう少し遠くにそのボールを投げたら、よりみんなが楽しい循環を生み出せることがよくわかりました。多少戻ってくるのに時間がかかっても、そうやって生きていきたい、そう思いながらやっているんです。

自分の器を広げる

社員の中で、一人で何人分も仕事がやれる人がいます。そういう人は、忙しいのに趣味も充実していたり、一人で何倍もの人生を生きることができているんですね。**やはり自分の器を自分から小さく設定しない、大きく大きく大きくと意識していくことによって、それが実現するのだと思います**。子育てだけに終わる人生もすばらしいと思いますが、でももっと可能性があるの

かもしれない、と欲張ってみてもいいということなんです。実は、私は少子化に対抗して、五人くらい子どもを産むつもりなんです。家族がにぎやかだと楽しそうだという思いもあります。社会に貢献したいという気持ちも大変なことが多いかもしれませんが、五人分の人生を見られる楽しみもあるから、**子どもを五人育てて、会社もちゃんとやって、それでもまだ余裕みたいな、そういう人生にしたいんです。**

女性起業塾で、私の目指す、一〇〇人の核の起業家たちが皆それを実行したら、子どもが何百人にもなります。もちろんいろいろな事情があって、子どもができない人もいると思うから、一概に産めよ増やせよというのがいいとは言いません。ただ、そういう人たちが増えれば、社会が変わらざるを得なくなるのではないか、そんな気がします。たとえばうちのスタッフは子どもを産んで仕事をすることに恐怖感を持たないでもらいたいし、仕事と家庭と両方があるから経沢さんはビジネスパーソンとしても成長した、というふうに思われたいんです。そういう世の中になれば、女性は迷わないだろうし、シンプルに生きていけると思います。結婚か仕事か、出産か仕事か、このまま会社の中でキャリアを積んで疲れていくのか、仕事と女であることとは両立できないのかとか、そういうレベルでは悩んでほしくないのです。

たとえば、**女性起業塾の出身者が東京の恵比寿周辺に集まって起業するようになったとすると、何かここだけ異常に保育事業が充実している、というエリアになっていくかもしれません。**一億円の年商の会社が一〇〇社あれば、一〇〇億円ですから、法人税もそれなりのボリュームが発生します。その集団が結構な額の法人税を払っているのだから、行政に対してモデル地区的な扱いになるように要請したり、子育て支援事業がもっと集まってきたり、本当に社会が変えられるような気がするんです。そういう人たちの意見が集まっただけでも、説得力がたぶん違ってくるでしょう。

能力は使うためにある

人は恵まれているとき、自分が恵まれているとはなかなか意識できないものです。まず、今の時代に、日本に生まれたこと自体、すごく運がいいと言えるのではないでしょうか。これも与えられた運のひとつです。もらった運とか機会はやはり最大限使わなければいけないと思います。

私の周りの社長さんで、大金持ちなので働かないで遊んでばっかりいる人がいました。もち

ろん若いときにたくさん働いたから、いまは黙っていても収入が途絶えないのだということはわかっています。ただ、その人は私にいろいろ教えてくれる世話好きでもあります。私は教えてもらっている立場であるのですが、その人をとってもすごい社長さんだと尊敬していて、その能力を遊ばせておくのはもったいないと思ったんです。だから、ある日とうとうその人にこんな話をしてしまいました。「○○さんはすごく頭がいいのに、そんなふらふら遊んでばっかりでいいんでしょうか?」と。その後どうなったかと言うと、最近また新しいことをいろいろやり出して、後輩をどんどん指導していて、すごくいいお仕事をされているんです。そして、「あのとき、君にああ言われたからね。でも、おかげで充実していますよ」とおっしゃったのです。

このように素直で、人の上に立てる人、優秀な人、事業を成功させられる人はそんなにたくさんいません。やはりそういう能力を与えられた人は、その能力をフルに使い切るまで使わなければいけないのだと思います。

自分は、もう一段上がれると信じてください。この本を読んでいるあなたが、自分は起業したいなとか、するべきなのではと思っていたとしたら、多分人生のある踊り場に来ているのではないでしょうか。次のステージへ行きなさいというサインかもしれないのです。私が塾の生

徒によく言うことですが、別に一回失敗して一年空白があっても、そういう経験があることによって逆に社会で重宝されることもあるでしょう。そういうキャリアのショートカットの方法もあるくらいで、あなた自身に経験が残るから、結果として何も失わないのです。起業してみようかと考えている時点で、もう一つの可能性を自分で察知しているのですから、そういう感覚に素直に反応してみるのもいいのではないでしょうか。たとえば今いる会社と信頼関係があれば、戻ることもできるかもしれません。

たとえばうちのスタッフでも、起業して、うまくいかなかったから戻りたいと言われたら、私は受け入れると思います。一回り大きくなって戻ってきてくれたとたぶん思うでしょう。失敗したって、先述したように、下限を決めてさえおけば、失うものはお金だけで一生残る貴重な経験は誰にも奪えない、という考えを持っていればなんどでもチャレンジできるんです。人生が本当の意味で豊かになるのだと思います。

あとがき

創業したばかりの頃、あまりにひどいことを目の前で言われて悔し涙が出てきたことがありました。どうせバックにスポンサーがいるんだろう、とか、女の子が遊び半分でやっている会社、サークルのノリでしょ、みたいなことです。事実と違うことですから、私はその後も一生懸命成果を出すようにしました。あのときにそれで投げ出してそのまま失敗していたら、ほらみたことか、お姉ちゃんが遊びで始めた会社だからやはりうまくいかないんだ、資金が尽きてやめたんだろう、と言われたでしょう。でもその後、そのひどいことを言った人も、結局お客様になってくれたんです。私はこのとき、過去は変えられるんだなと思いました。君がやって

いることはよくわからないよ、なんて冗談半分で言っていた人も、今では、立派になりましたねと言ってくれます。私は今、その人たちに恨みがあるわけでもないけど、やはりそのときはがんばっていても認められない悲しさがありました。でも、奮起させてもらったから、今ではむしろありがたいと思っています。

人間はだんだん大きくなるものです。少しずつ自分に自信がついて、振り返れば辛いことも、あとから考えると全部よかったことのように思える。**人生で起きた「辛い過去」も、結果がよくなれば、その時点で「いい過去」、あの時これがあったから今の私がいるというプラスの出来事に変えられるのです**。ただ前向きに生きるといっても、無鉄砲なのは危険ですから、検証しながら慎重にやってください。とにかく投げ出さないことです。**過去は変えられます**。いつまでもマイナスの過去をひきずっているくらいなら、**きょうから動けば、本当に変えられます**。

誰かの敷いたレールに乗って、前に進んでいる人のあとをたどる人生は楽かもしれません。みんなと同じ選択をしたほうが安全かもしれません。でも、あなたの人生は一度きりだから、あなた自身で創り出してほしいし、最終的な選択をしてもらいたいのです。自分が本当に心の底からこうしたいと思うことを追求してほしいなと思うのです。多くの人は、自分らしく生きたい、自分にしかできないことをしたいと言いますが、ほとんどの人は他の人と同じような選

択をしてしまうから、そうなる人は、実際本当に少ないと思います。

私が起業しようと思ったのは、みんなが選ぶから選ぶという理由ではなく、自分がこうと思った生き方をしていこうと考えたからでした。

自分らしい人生を選ぶのは誰でもなくあなたです。何を選ぶかの選択に自分らしさが出るのです。私は自分よりも上に見せようとも下に見せようとも思ってないし、今回、この本に書いたことだけが正解とも思っていませんが、たまたま私という人間が、こういうふうに考え、自分らしい選択を真剣に追求した結果、こうなったという事例としてお話ししたつもりです。人生にただひとつの答えというのはないと思います。

起業前の準備も含めると約七年弱。その間ずっと私はトレンダーズという会社を経営することをまず第一に考えてきました。そしてそのなかで自分なりの経営にも哲学や鉄則というものがあるのに気づいて、それが女性起業塾の塾生にとても評判がよかったので、もっともっと多くの女性の役に立てればと思って、こうやって本にまとめた次第です。

この本を読んで、元気が出たとか、私にもできそうだとか、明日はちょっと早く仕事場に行ってがんばろうと思ったり、起業の決心がついたという人がいてくだされば、これほどの幸せはありません。自分の人生は他の誰でもなく自分でしか創れないんだということを胸に刻んで、一緒に励まし合いながら、楽しい人生を歩いていきましょう。

あとがき

最後までお読みいただきまして本当にありがとうございました。

二〇〇五年六月

経沢香保子

［著者］
経沢香保子（つねざわ・かほこ）
トレンダーズ株式会社　女性起業塾　代表取締役 。
1973年千葉県生まれ。慶應義塾大学経済学部卒業後、株式会社リクルートに入社。人材総合サービス事業部に配属され、約200社を担当。在籍中の営業成績はトップクラスであった。エグゼクティブプロデューサーとして、エイ・ワイ・エーネットワーク株式会社にヘッドハンティングされた後、創業間もない楽天株式会社へ移り、楽天大学など様々な新規事業開発に関わる。2000年、26歳でトレンダーズ株式会社を設立し、代表取締役に就任。流行を生み出す年齢層である20〜34歳のF1女性を1200人ネットワーク化し、マーケティングを行う。最近では、今後の日本の動向を握るという団塊ジュニア専門のマーケティングサービスも開始。その活躍は、マスコミに500回近く取り上げられる。現在では、ネイリスト出張サービス「Every Nail（エブリネイル）」や、自社の経験を生かしたプレスリリースサービス「広報担当」など続々と新規事業を立ち上げる。2001年に始めた女性起業塾の卒業生は、すでに500名を超える（2004年に会社組織として、有限会社女性起業塾を設立)。2004年に長女を出産、現在第２子を妊娠中。「子どもは５人ほしい」と新聞で公言し話題に。仕事と家庭を両方楽しみたいという生き方が多くの女性の支持を集めている。
トレンダーズホームページ　http://www.trenders.co.jp/
女性起業塾ホームページ　http://www.w-e.jp/

自分の会社をつくるということ

2005年６月23日　第１刷発行
2005年７月４日　第２刷発行

著　者——経沢《つねざわ》香《か》保《ほ》子《こ》
発行所——ダイヤモンド社
〒150-8409　東京都渋谷区神宮前6-12-17
http://www.diamond.co.jp/
電話／03･5778･7236（編集）　03･5778･7240（販売）
装丁・本文デザイン—中井辰也
カバー撮影—安達尊
製作進行——ダイヤモンド・グラフィック社
印刷・製本—ベクトル印刷
編集担当——土江英明

ISBN 4-478-73301-5